PAGE COUVERTURE. 1:

Wolfgang
Amadeus
Mozart
Q. p :
9 - 20
32 - 53
60 - 81
96 - 113

Nana
Mouskouri

Q. pp :
91

Martin
Luther

Q. pp :
133

Martin
Luther
King

Q. pp :
33

QUESTION / RÉPONSE CÔTE À CÔTE

Il est facile pour le joueur solitaire de s'auto-évaluer : il lui suffit de cacher les réponses du coté droit et les découvrir une à une. Nul besoin de se reporter à la fin du volume ou en bas de page... ni au verso !

Disposition idéale aussi pour l'animateur d'un groupe : il voit immédiatement la réponse.

Impression Payette & Simms inc.

Le QUIZ

vol. 1

Gilles Brisson

jeu questionnaire
1 500 questions-réponses
18 questions «personnage à indices»

Données de catalogage avant publication (Canada)
Brisson, Gilles, 1936-
Le quiz

Éd. rev. et modifiée.
Publ. antérieurement sous le titre:
Vérifiez vos connaissances. 1983.
Comprend un index.
ISBN : 2-9800284-9-5 (v.1)
1. Questions et réponses. I. Titre.
II. Titre : Vérifiez vos connaissances.
GV1507.Q5.V47 1997 793.73 C97-940542-4

Dépôt légal - 2e trimestre 1997
Bibliothèque Nationale du Québec
Bibliothèque Nationale du Canada

ISBN : 2-9800284-9-5

Dewey : 793.73
B859q

AVIS AUX ENSEIGNANTS ET MONITEURS

Par la présente, les *éditions GENY* autorisent les enseignants-animateurs à utiliser des questions de ce livre pour la confection de questionnaires devant servir à des ligues, des tournois... *dans la mesure où il est fait mention de «la collection Le QUIZ»*, tout en tenant compte des *Lois canadiennes et québécoises sur les droits d'auteurs.*

Remerciements

Toute ma reconnaissance aux personnes qui ont collaboré à la réalisation de cette nouvelle édition du premier livre de la collection «Le QUIZ».

* Ma fille Danielle, de La Minerve, pour avoir révisé l'ensemble de ce livre.

* Mon frère Bernard, de Saint-Léonard, pour ses connaissances particulières sur les biographies d'artistes et les personnes célèbres.

* Benoît Champagne, de Brossard, pour sa spécialisation dans le domaine scientifique et ses connaissances historiques.

* Pierre-Paul Coulombe du collège Jean-Eudes de Montréal pour avoir validé les questions avec ses équipes de «Génies en Herbe», révisé les questions quant à leur rédaction et leur contenu.

* Pierre Galarneau de la polyvalente La Forêt d'Amos et son épouse France, pour avoir validé les questions avec leurs équipes de «Génies en Herbe», et révisé le contenu de ce livre.

* Pauline Langelier, de Granby, qui a révisé le contenu entier de ce livre.

* Gilles Michaud, de la polyvalente Georges-Vanier de Montréal, pour la révision de l'ensemble de ce livre.

Une pensée toute particulière va à monsieur Jacques Fabi, animateur de l'émission "Bonjour la Nuit" au poste CKAC-73-AM à Montréal, émission radiodiffusée à travers le Québec sur le réseau "Radiomédia", de 0,00h à 6,00h. De 0,25h et 0,45h, à la section "Génies en Éveil", du lundi au vendredi, monsieur Fabi m'a donné l'occasion de l'accompagner sur les ondes pour me permettre de faire "jouer" ses auditeurs avec l'ensemble des questions de ce livre; ce qui m'a amené, à l'occasion, de modifier le libellé de certaines d'entre elles.

Pour la couverture :
Caricatures : Guy Dubé, Rosemont, Montréal;
Graphisme : Sylvie Dumoulin, Rosemont, Montréal.

Gilles Brisson, le 21 avril 1997.

Avis au lecteur

Une étoile (*) au début d'une question signifie que celle-ci se rattache au texte ou à la question qui précède.

* * *

Deux tildes (~~) consécutifs signifient la fin d'une définition.

* * *

Le livre # 1, paru en 1983 sous le titre «Vérifiez vos connaissances», est réédité sans la section nationale. Aussi, les questions sur l'histoire du XXe siècle ont été remplacées par des questions de vocabulaire, dans le but de rendre ce premier livre accessible aux plus jeunes, contenant maintenant beaucoup de questions de base.

* * *

Plusieurs personnes ont manifesté l'opinion que dans les livres précédents la rédaction de certaines questions était un peu longue. Il est exact qu'il serait possible d'abréger, mais le but, en apportant des détails supplémentaires, est d'en faire apprendre plus au lecteur ou aux joueurs afin de mieux cerner le sujet, ou d'augmenter les connaissances.

* * *

Malgré le fait que les questionnaires soient révisés par plusieurs personnes, il reste toujours la possibilité que des coquilles ou de légères omissions se soient glissées dans le libellé des questions.

* * *

Si vous désirez mettre à jour vos livres de la collection Le QUIZ, une liste de records battus ou de coquilles est publiée dans le livre #7 à la page 141, et une autre dans le livre #9, à la page 139.
NOLA

DIVERS :

1)	Quel nom donne-t-on à la chasse aux fauves, pratiquée par les grands chasseurs et touristes, en Afrique?	SAFARI
2)	En 1924, la moitié des automobiles du monde entier étaient de marque Ford. Quel en était le modèle?	* FORD À PÉDALE * FORD "T"
3)	Quelle est la plus haute chute d'eau douce au monde?	Salto ANGEL
4)	* Dans quel pays d'Amérique situez-vous cette chute?	VENEZUELA

GÉOGRAPHIE :

1)	Quelle ville d'Italie possède une célèbre tour penchée?	PISE
2)	Quel est le pays le plus au nord de l'Afrique?	La TUNISIE
3)	Quel grand fleuve délimite la frontière entre le Texas et le Mexique?	RIO GRANDE
4)	Quel est l'ancien nom de la Thaïlande?	SIAM

LITTÉRATURE :

1)	Quel nom de plume empruntait Aurore Dupin, femme de lettres française du XIXe siècle? (1804-1876)	GEORGE SAND
2)	Quel genre de publications du poète français Jean de La Fontaine furent les plus célèbres?	Ses FABLES
3)	Quel animal La Fontaine désigne-t-il par la *gent marécageuse*?	La GRENOUILLE
4)	Qui est l'auteur du célèbre poème *le Bateau ivre*?	Arthur RIMBAUD

DIVERS :

1)	En quelle année le téléphone fut-il inventé?	En 1876 (le 10 mars)
2)	Quel est le magazine américain à plus fort tirage?	READER'S DIGEST
3)	Dans quelle partie de l'avion les passagers se placent-ils?	La CARLINGUE
4)	De quel pays la *moussaka* est-elle un mets?	* GRÈCE * TURQUIE

VOCABULAIRE :

*4 **noms** commençant par la lettre " A " :*

1)	Autochtone~~ Indigène qui habite un pays depuis les origines~~	ABORIGÈNE
2)	Le plus haut degré d'élévation~~ Le point le plus élevé où l'on puisse parvenir~~	APOGÉE
3)	Bâtiments d'un monastère de certains ordres religieux~~	ABBAYE
4)	Chemin bordé d'arbres, de massifs, de verdure, de plates-bandes~~	ALLÉE

PROVERBES :

Comp'étez les proverbes suivants :

1)	De la discussion jaillit... ?	LA LUMIÈRE
2)	L'enfer est pavé... ?	DE BONNES INTENTIONS
3)	Fais ce que dois... ?	ADVIENNE QUE POURRA
4)	Faute de grives, on... ?	MANGE DES MERLES

ZOOLOGIE :

Quels noms d'animaux, commençant par la lettre "L", vous suggèrent les définitions suivantes :

	Question	Réponse
1)	Mammifère ruminant de la cordillère des Andes.	LAMA
2)	Mammifère amphibien vivant dans les fleuves d'Afrique et d'Amérique tropicale.	LAMANTIN
3)	Chien à longues jambes utilisé pour la course ou la chasse au lièvre?	LÉVRIER
4)	Animal fabuleux, à corps de cheval que les Anciens représentaient avec corne au front?	LICORNE

MATHÉMATIQUES :

	Question	Réponse
1)	Identifiez le triangle suivant : le premier et le deuxième angle sont égaux et leur somme égale deux fois le troisième angle?	ÉQUILATÉRAL
2)	Que vaut le tiers et demi de 100?	50
3)	Que représente le chiffre "8" quand il est écrit horizontalement?	L'INFINI
4)	Quel est le nombre composé de trois chiffres qui, multiplié par quatre, donne cinq comme résultat?	1,25

MUSIQUE CLASSIQUE :

	Question	Réponse
1)	Qui est l'auteur de l'*Ouverture 1812*?	Petr TCHAÏKOVSKI
2)	De quelle nationalité était Beethoven?	ALLEMANDE
3)	Quel nom porte le célèbre barbier de Séville dans l'opéra de Rossini?	FIGARO
4)	Citez l'un des deux prénoms de Mozart.	* WOLFGANG * AMADEUS

RELIGION :

	Question	Réponse
1)	Quel personnage biblique fut abandonné bébé, dans une corbeille, sur le bord du Nil?	MOÏSE
2)	Quelle section du Nouveau Testament parle de la fin des temps?	L'APOCALYPSE
3)	Quel personnage construisit une arche pour se sauver du déluge?	NOÉ
4)	En 1870, à la suite de quel concile, le pape Pie IX proclama-t-il l'infaillibilité pontificale?	VATICAN 1er

SPORTS :

	Question	Réponse
1)	Quel célèbre boxeur, ancien champion du monde, a été surnommé le *Bombardier Brun*?	Joe LOUIS
2)	En quelle année eurent lieu les jeux Olympiques de Berlin?	1936
3)	* Qui présida ces Jeux?	HITLER
4)	Au baseball, lorsqu'un frappeur réussit un long *coup sûr* mais est retiré, dans sa course, au 3e coussin, il reçoit le crédit d'un *coup sûr* de...?	* DEUX BUTS * UN DOUBLE

DIVERS :

Quel nom de noces porte la fête célébrant :

	Question	Réponse
1)	50 ans de mariage?	D'OR
2)	25 ans?	D'ARGENT
3)	Un an?	* De COTON * De PAPIER (selon les sources)
4)	60 ans?	De DIAMANT

GÉOGRAPHIE :

De quelle péninsule font partie les pays suivants :

	Question	Réponse
1)	La Suède ?	SCANDINAVE
2)	La Grèce ?	Des BALKANS
3)	Le Viêt nam ?	INDOCHINOISE
4)	L'Espagne?	IBÉRIQUE

HISTOIRE :

	Question	Réponse
1)	Qui fut surnommée la *Pucelle d'Orléans*?	JEANNE D'ARC
2)	* Comment est-elle morte en 1431?	* BRÛLÉE * SUR LE BÛCHER
3)	* Dans quelle ville fut-elle suppliciée?	ROUEN
4)	* Dans quel petit village des Vosges était-elle née 19 ans auparavant?	DOMRÉMY

LITTÉRATURE :

	Question	Réponse
1)	Qui a écrit *20 000 lieues sous les mers*?	Jules VERNE
2)	* Quel nom portait le sous-marin dans ce roman?	Le *NAUTILUS*
3)	* Quelle est la provenance de ce nom?	NAUTILE (un mollusque)
4)	* Quel capitaine commandait ce sous-marin?	NÉMO

ÉCONOMIE :
Quelle est l'unité monétaire de chacun des pays suivants :

	Question	Réponse
1)	La Colombie?	Le PESO
2)	L'Espagne?	Le PESETA
3)	L'Afrique du Sud?	Le RAND
4)	Le Brésil?	Le REAL

FRANÇAIS :

	Question	Réponse
1)	Quel mot désigne : *qui tient des deux sexes*, tel le noyer qui porte des fleurs mâles et femelles?	* ANDROGYNE * BISEXUÉ * MONOÏQUE * HERMAPHRO-DITE
2)	Comment désigne-t-on celui qui hait les étrangers?	XÉNOPHOBE
3)	Qu'est-ce qu'une *tarentelle*?	Une DANSE (italienne)
4)	Quel verbe commençant par "P" désigne le mieux l'expression "Faire durer toujours"?	PERPÉTUER

SCIENCES GÉNÉRALES :

	Question	Réponse
1)	Qui a mis au point la dynamite en 1866?	Alfred NOBEL
2)	* Quelle était sa nationalité?	SUÉDOISE
3)	Quels frères réussirent les premiers à faire monter un ballon dans les airs, le 5 juin 1783?	MONTGOLFIER
4)	Quelle planète sera la plus éloignée du Soleil à partir de 1999?	PLUTON (avant : Neptune)

LES INDICES D'UNE PERSONNALITÉ :

	Question	Réponse
A)	Cet écrivain français est né en 1768 et décédé en 1848.	François-René de CHATEAUBRIAND
B)	De 1821 à 1824, il fut ambassadeur de France puis ministre des Affaires Étrangères.	
C)	Il fit un voyage en Amérique (É-U) en 1791, dont il s'inspira pour écrire ses romans *Atala* et *Natchez*.	
D)	Ses principales oeuvres sont *René, Génie du christianisme*, et *Mémoires d'outre-tombe*.	

DIVERS :

	Question	Réponse
1)	À Montréal ou à Paris, nous l'appelons *brouillard*. Sous quel nom le désigne-t-on à Londres?	FOG
2)	* Et à Los Angeles?	SMOG (smoke + fog)
3)	Les deux fromages les plus populaires de Hollande portent le nom de deux villes des Pays-Bas. Identifiez l'une de ces villes.	* GOUDA * EDAM
4)	Quel nom donne-t-on à l'animal engendré d'un âne et d'une jument?	Un MULET

GÉOGRAPHIE :

	Question	Réponse
1)	La Perse a changé de nom. Quel est-il actuellement?	L'IRAN
2)	De quel pays Séville, Barcelone et Tolède sont-elles des villes importantes?	L'ESPAGNE
3)	Quelle est la capitale de l'Égypte?	LE CAIRE
4)	* Comment nomme-t-on les habitants de cette ville?	Les CAIROTES

VOCABULAIRE :

*4 **noms** commençant par la lettre " B " :*

1)	Grosse cloche à son grave~~ Nom de divers genres d'insectes hyménoptères~~ Murmure sourd et confus d'une foule~~	BOURDON
2)	Faillite d'un marchand par imprudence ou par fraude~~	BANQUEROUTE
3)	Marché public en Orient~~ Magasin où l'on vend toutes sortes d'objets~~	BAZAR
4)	Bombance~~ Festin~~ Bouffe~~ Nourriture~~	BOUSTIFAILLE

LITTÉRATURE :

1)	Nommez le cardinal, chef du Conseil du roi Louis XIII, qui fonda l'Académie française en 1634.	De RICHELIEU
2)	Qui a écrit le roman *Manon Lescaut*, en 1731?	L'abbé PRÉVOST
3)	Qui a écrit : *Être ou ne pas être... voilà la question*?	SHAKESPEARE
4)	La principale oeuvre de Daniel Defoe fut publiée en 1719. Quelle est-elle?	*ROBINSON CRUSOÉ*

LE 7e ART :

Quel est le prénom de chacun des acteurs suivants :

1)	Curtis?	* TONY * JAMIE LEE
2)	Matthau?	WALTER
3)	Gere?	RICHARD
4)	Ormond?	JULIA

FRANÇAIS : *Quelle ville est désignée par chacune des périphrases suivantes :*	
1) *La capitale américaine*?	WASHINGTON
2) *La ville des vents*? (É-U)	CHICAGO
3) *La ville éternelle*?	ROME
4) *La ville des fèves au lard*? (É-U)	BOSTON
PHYSIQUE :	
1) De quelle propriété est-il question lorsqu'un corps se déforme sous l'effet d'une force?	L'ÉLASTICITÉ
2) Que trouve-t-on lorsqu'on divise la masse d'un corps par son volume?	* Sa MASSE VOLUMIQUE * Sa DENSITÉ
3) Entre "solides", "liquides" et "gaz", quels sont ceux qui ont peu d'élasticité?	Les LIQUIDES
4) Comment qualifie-t-on une solution qui n'arrive plus à dissoudre une quantité supplémentaire de solide introduit?	Solution SATURÉE
DIVERS :	
1) Quel métal est le plus utilisé pour le transport de l'électricité?	Le CUIVRE
2) En Autriche et en Allemagne, quel poste politique est l'équivalent de celui de Premier ministre?	CHANCELIER
3) Nommez la plus célèbre académie militaire des États-Unis.	WEST POINT
4) Quelle est la langue la plus parlée au monde?	* Le CHINOIS * Le MANDARIN

GÉOGRAPHIE :
Les océans du monde :

	Question	Réponse
1)	Quel est le plus vaste ?	PACIFIQUE
2)	* Lequel arrive au second rang?	ATLANTIQUE
3)	* Au quatrième?	ARCTIQUE
4)	* Au troisième?	INDIEN

HISTOIRE :
Plusieurs femmes ayant Marie comme prénom ont marqué l'histoire. Nommez :

	Question	Réponse
1)	L'épouse de Louis XVI.	M.-ANTOINETTE
2)	Celle d'Henri IV.	M. de MÉDICIS
3)	La maîtresse de Rodolphe, héritier au trône d'Autriche-Hongrie, en 1888-1889.	M. VETSERA
4)	La reine d'Angleterre surnommée *Marie la Sanglante* (Bloody Mary).	M. TUDOR

LITTÉRATURE :
Quels écrivains français sont les auteurs des oeuvres littéraires suivantes :

	Question	Réponse
1)	*Le Mur*?	Jean-Paul SARTRE
2)	*L'étranger*?	Albert CAMUS
3)	*Salammbô*?	Gustave FLAUBERT
4)	*Clair de lune*?	Paul VERLAINE

DIVERS :

	Question	Réponse
1)	Comment appelle-t-on les colonnes de calcaire qui pendent du sommet d'une grotte?	STALACTITES
2)	* Et celles qui partent du sol et vont en montant?	STALAGMITES
3)	Qui a créé *Mickey Mouse*?	Walt DISNEY
4)	Que désigne-t-on par le *fidèle compagnon de l'homme*?	Le CHIEN

GÉOGRAPHIE :

Nommez la capitale de chacun des pays suivants :

	Question	Réponse
1)	La Hongrie.	BUDAPEST
2)	La République Populaire de Chine.	* PÉKIN * BEIJING
3)	Le Japon.	TOKYO
4)	Les Pays-Bas.	AMSTERDAM

LITTÉRATURE :

	Question	Réponse
1)	Quelle était la nationalité de l'écrivain John Steinbeck, prix Nobel de littérature en 1962?	AMÉRICAINE
2)	Dans quelle ville italienne se déroule l'action de *Roméo et Juliette* de Shakespeare?	VÉRONE
3)	Qui, en 1936, a écrit *l'Homme, cet inconnu*, oeuvre traduite en 19 langues?	Le Dr. Alexis CARREL
4)	Où, à Paris, se trouve le lieu de sépulture de Voltaire, Rousseau, Hugo et Zola?	Au PANTHÉON

ÉCONOMIE :
Dans quel pays situez-vous les compagnies aériennes suivantes :

1) Lufthansa?	ALLEMAGNE
2) Olympic Airways?	GRÈCE
3) Trans Word Airlines (T.W.A.)?	ÉTATS-UNIS
4) Air Siam?	THAÏLANDE

LES INDICES D'UNE PERSONNALITÉ :

A) Son nom véritable est Vladimir Illich Oulianov.	LÉNINE
B) Il est né en 1870 à Simbirsk, en Russie.	
C) Il est décédé en 1924.	
D) Il fut l'un des grands chefs de *la Révolution d'octobre*, en 1917. Il devint le premier chef d'État de l'U.R.S.S.	

FRANÇAIS :

1) Une *cavalière* est une femme qui monte à cheval. Citez un synonyme.	* Une AMAZONE * Une ÉCUYÈRE
2) Quel est le meilleur nom que l'on peut attribuer à la pâture que l'on utilise pour attirer les animaux ou les poissons?	* Un APPÂT * Un LEURRE
3) Corrigez la phrase suivante : "Il effile son couteau".	AFFILE...
4) Dans une phrase, comment appelle-t-on un terme ou une expression qui répète des mots ayant le même sens, afin de donner plus de force à la pensée?	* Un PLÉONASME * Une PÉRISSOLOGIE

SCIENCES :

	Question	Réponse
1)	Qui, en 1800, inventa la pile électrique?	Alessandro VOLTA
2)	Quel conifère californien peut atteindre jusqu'à 140 mètres (460 pieds) et vivre plus de 2000 ans?	Le SÉQUOIA
3)	Qui mit au point la pénicilline en 1928? Il reçut le prix Nobel de médecine en 1945.	Sir Alexander FLEMING
4)	Comment se nomme l'appareil qui sert à indiquer l'altitude?	Un ALTIMÈTRE

VOCABULAIRE :

4 ***noms*** *commençant par la lettre " C " :*

	Question	Réponse
1)	Partie du lit où repose la tête~~ Tête de lit~~	CHEVET
2)	Nom donné à la coiffure de certaines communautés religieuses~~	CORNETTE
3)	Bague à large chaton plat, ornée généralement d'initiales ou d'armoiries~~	CHEVALIÈRE
4)	Chef de bande~~ Mot utilisé particulièrement pour désigner les chefs de la drogue~~	CAÏD

MATHÉMATIQUES :

Calcul rapide (si la question est lue, dire aux auditeurs :) (*N.B. : attendre le signal "égale"*) :

	Question	Réponse
1)	$2 \times 3 \div 6 + 4 - 9 + 1 \times 5$... *égale*?	-15
2)	$5 \times 5 + 6 - 3 \div 7 + 8 - 10$... *égale*?	2
3)	$(2 \times 7 - 4 \div 2 \times 5 - 17 \div 2)^3$... *égale*?	64
4)	$\sqrt[2]{}$ de $(4 + 1 \times 5 - 13 + 2 \div 7 \times 2)$... *égale*?	2

MUSIQUE CLASSIQUE :

	Question	Réponse
1)	La première de quel célèbre opéra de Verdi a été présentée au Caire, capitale de l'Égypte, pour l'ouverture du canal de Suez, en 1869?	AÏDA
2)	Quel est le nom du plus célèbre théâtre de ballet et d'opéra de Moscou?	BOLSHOÏ
3)	Quel Allemand a composé *le Vaisseau fantôme*?	Richard WAGNER
4)	Dans quelle ville d'Autriche Mozart est-il né?	SALZBOURG

GÉOGRAPHIE :

À quel pays associez-vous chacun des mets suivants:

	Question	Réponse
1)	La choucroute?	ALLEMAGNE
2)	La tourtière?	CANADA
3)	Le baba au rhum?	POLOGNE
4)	La ratatouille?	FRANCE

RELIGION :

	Question	Réponse
1)	Dans quelle ville de Galilée, Jésus passa-t-il la majeure partie de sa vie?	NAZARETH
2)	Qui composa le *livre des Psaumes* de l'Ancien Testament?	DAVID
3)	L'Espagne compte deux lieux de pèlerinage mondialement célèbres. Nommez l'une des deux villes qui les abritent.	* AVILA * SAINT-JACQUES-DE-COMPOSTELLE
4)	* Nommez la sainte que l'on vénère dans la première de ces deux villes.	THÉRÈSE (d'Avila)

OLYMPISME :

	Question	Réponse
1)	Quel Américain fut la vedette des jeux olympiques d'hiver de Lake Placid, en 1980.	Erick HAYDEN
2)	* dans quel domaine s'est-il illustré?	Le PATINAGE DE VITESSE
3)	Quelle fut la vedette des Jeux olympiques d'été de Montréal, en 1976?	Nadia COMANECI
4)	* quelle était la nationalité de cette vedette alors?	ROUMAINE

DIVERS :

Dans quel pays les grands quotidiens suivants sont-ils publiés :

	Question	Réponse
1)	Le *Quotidien du Peuple*?	En CHINE
2)	*The Globe and Mail*?	Au CANADA
3)	*L'Observateur*?	En FRANCE
4)	*Al Ahram*?	En ÉGYPTE

GÉOGRAPHIE :

	Question	Réponse
1)	L'Australie, à cause de sa grande superficie, compose à elle seule presque tout le continent océanien. Alors, quelle est la plus grande île du monde, si on ne considère pas l'Australie?	Le GROENLAND
2)	* située dans le sud asiatique, laquelle se classe seconde?	La NOUVELLE-GUINÉE
3)	* et la quatrième, située à l'est de l'Afrique?	MADAGASCAR
4)	* et la troisième, dans l'Asie du Sud?	BORNÉO

HISTOIRE :

1) Qui, le 21 juillet 1798, a dit : "Soldats, songez que, du haut de ces pyramides, quarante siècles d'histoire vous contemplent"? — NAPOLÉON

2) Quel était le nom de famille de Napoléon? — BONAPARTE

3) De quel titre *se couronna* Napoléon, le 2 décembre 1804? — EMPEREUR des Français

4) Identifiez l'une des deux épouses de Napoléon. — * JOSÉPHINE * MARIE-LOUISE

LITTÉRATURE :

1) Quel prix littéraire fut décerné en 1958 à l'écrivain soviétique Boris Pasternak, qui le déclina? — NOBEL de littérature

2) * Quelle oeuvre lui mérita ce prix? — *LE DOCTEUR JIVAGO*

3) Décédé à Paris le 15 avril 1980, quel écrivain français a-t-on surnommé *le Père de l'Existentialisme*? — Jean-Paul SARTRE

4) Quel écrivain français a écrit *Tartarin de Tarascon,* en 1872? — Alphonse DAUDET

ESPACE :

1) Des dix-huit lancements de fusées, lors du programme Apollo, lequel permit à deux Américains de mettre le pied sur la Lune pour la première fois? — APOLLO XI

2) * Cet événement se produisit un 20 juillet, à 22,56h, heure de Houston. Dites en quelle année. — En 1969

3) * Quel est le nom du premier Américain à réussir cet exploit. — Neil ARMSTRONG

4) * Pendant que Michael Collins continuait à circuler autour de la Lune dans la cabine Apollo, quel autre astronaute le rejoignit sur le sol lunaire, 24 minutes plus tard? — Edwin ALDRIN

FRANÇAIS :

	Question	Réponse
1)	Quel est l'antonyme du mot *synonyme*?	ANTONYME
2)	Dans quelle expression courante utilise-t-on le mot *vin* pour signifier : "Faire un compromis"?	*METTRE DE L'EAU DANS SON VIN*
3)	Quel est le masculin du mot *bru*?	GENDRE
4)	La phrase suivante contient un pléonasme. Trouvez le superflu : "Nous avions pourtant prévu à l'avance toutes leurs objections.	À L'AVANCE

SCIENCES :

	Question	Réponse
1)	Quel chimiste fut le premier à déterminer quantitativement la composition de l'air?	Antoine LAVOISIER
2)	* Quelle "paternité" lui attribue-t-on?	PÈRE DE LA CHIMIE
3)	Quelle est la vitesse du son dans l'eau? (en mètres/seconde).	1 425 mètres/s
4)	Que demandait Archimède pour "*soulever la Terre*"?	Un POINT D'APPUI

DIVERS :

	Question	Réponse
1)	Quel roi a dit : "L'exactitude est la politesse des rois"?	LOUIS XVIII (1755-1824)
2)	Quel luthier italien aurait fabriqué, vers 1700, les violons les plus renommés?	Antoine STRADIVARIUS
3)	Nommez le seul pays d'Europe où, selon la légende, on ne trouve aucune espèce de serpent... Saint Patrice les aurait chassés?	En IRLANDE
4)	Le dollar canadien ou américain se divise en *cents*. Comment divise-t-on le peso mexicain?	En CENTAVOS

VOCABULAIRE :

*4 **noms** commençant par la lettre " E " :*

	Question	Réponse
1)	Manière de s'exprimer, de parler : d'une façon facile, lente, rapide~~	ÉLOCUTION
2)	Magistrat romain~~ Désigne un représentant du conseil municipal~~	ÉDILE
3)	Savoir étendu~~ Savoir approfondi dans un ordre de connaissances~~	ÉRUDITION
4)	Pièce de fer doux entouré d'un bobinage dans lequel on fait passer un courant électrique pour produire un champ magnétique~~	ÉLECTROAIMANT

GÉOGRAPHIE :

	Question	Réponse
1)	Nommez la plus célèbre pyramide d'Égypte.	* CHÉOPS * KHEOPS
2)	À quel pays européen appartiennent les îles suivantes : Crète, Lesbos et Corfou?	GRÈCE
3)	Politiquement, le Mexique comprend un district fédéral, deux territoires, et... combien d'États?	29
4)	Quel État africain a la plus petite superficie?	La GAMBIE

LITTÉRATURE :

	Question	Réponse
1)	Quel poète français traduisit dans sa langue les principales oeuvres du poète américain Edgar Allan Poe?	Charles BAUDELAIRE
2)	Quel poète français, né en 1854, fut particulièrement fécond avant ses vingt ans?	Arthur RIMBAUD
3)	Quel poète français, grand ami de Rimbaud, fut profondément influencé par celui-ci?	Paul VERLAINE
4)	De qui sont les trois oeuvres suivantes : *Sagesse*, *Poèmes saturniens* et *Fêtes galantes*?	Paul VERLAINE

FRANÇAIS :	
1) Comment nomme-t-on un mot qui se lit aussi bien dans un sens que dans l'autre?	Un PALINDROME
2) * Citez-en deux.	* ANNA * EVE * LAVAL * ÉTÉ
3) * et un troisième.	* LEBEL * NON * ICI...
4) La phrase suivante contient un pléonasme; quels sont les mots en trop? : "Les oignons me font pleurer des yeux".	DES YEUX

ZOOLOGIE :	
1) Quel nom désigne l'abeille mâle?	FAUX BOURDON
2) Sous quel nom désigne-t-on vulgairement un *crotale*?	Un SERPENT À SONNETTE
3) À quelle famille animale appartiennent le chat et le lion?	* Aux FÉLINS * Aux FÉLIDÉS
4) Quel est le seul mammifère ovipare?	ORNITHORYNQUE

MATHÉMATIQUES :	
1) Un cercle est divisé en parties égales pour chacun des signes du zodiaque. Dites la valeur de l'arc attribué à chaque signe.	30°
2) Un rectangle a une surface de 24 mètres carrés et une longueur de 6 mètres. Quel est son périmètre?	20 MÈTRES
3) Si un rectangle est divisé en triangles, quel minimum de triangles est-il possible d'obtenir?	DEUX
4) Un carré est inscrit dans un cercle. Quelle est la valeur des arcs obtenus?	90° CHACUN

ÉCONOMIE :

Question	Réponse
1) Quel nom donne-t-on à l'entente entre producteurs d'une même branche de l'industrie afin de contrôler : production, prix et concurrence?	Un CARTEL
2) Quel nom donne-t-on à une société industrielle qui contrôle, grâce à sa participation financière, un groupe d'entreprises de même nature?	Un HOLDING
3) Quel nom porte une combinaison économique ou financière qui réunit sous un même contrôle un ensemble d'entreprises?	Un TRUST
4) Comment désigne-t-on un chèque garanti par la banque où il est émis?	Un chèque VISÉ

MUSIQUE CLASSIQUE :

Question	Réponse
1) Qui est le compositeur des trois oeuvres suivantes : *Carmen*, *les Pêcheurs de perles,* et *l'Arlésienne*?	Georges BIZET
2) Quel compositeur russe est l'auteur de la musique du ballet *Petrouchka*?	Igor STRAVINSKI
3) Quel était le prénom du compositeur américain Gershwin?	GEORGE
4) À quel siècle vécut le compositeur russe Petr Tchaïkovski?	XIXe (1840-1893)

RELIGION :

Question	Réponse
1) Les quatre évangélistes étaient : saint Mathieu, saint Marc et... Quels étaient les deux autres?	* Saint LUC * Saint JEAN
2) Quel apôtre a écrit l'*Apocalypse*?	Saint JEAN
3) Quelle cérémonie religieuse est censée débarrasser des démons?	L'EXORCISME
4) Quelle est la Vierge-patronne du Mexique?	* La LUPITA * Vierge de la GUADELOUPE

SPORTS :

	Question	Réponse
1)	Dans plusieurs pays nous l'appelons *soccer* mais, comme il se joue avec les pieds, quel est son nom véritable?	Le FOOTBALL
2)	Dans quel pays les skis furent-ils utilisés pour la première fois?	En NORVÈGE
3)	* et les raquettes à neige?	Au CANADA (Amérindiens)
4)	À la boxe, que signifie le sigle *K.O.*?	* KNOCK OUT * MISE HORS-COMBAT

LES INDICES D'UNE PERSONNALITÉ :

	Indice	Réponse
A)	Il est né en 1879 à Ulm, en Allemagne.	Albert EINSTEIN
B)	Il reçut le prix Nobel de physique, en 1921.	
C)	Il fut naturalisé Américain en 1940.	
D)	Il est l'auteur de *la théorie de la relativité.*	

DIVERS :

	Question	Réponse
1)	Quel nom donne-t-on au pôle qui se situe dans le Grand Nord canadien, et qui se déplace lentement, chaque année, par rapport au pôle Nord réel?	Le pôle MAGNÉTIQUE
2)	Quel Américain inventa l'ascenseur avec frein en 1852?	Graves OTIS
3)	Quel est le plus long canal maritime du monde?	PANAMA
4)	Comment appelle-t-on un coup d'État organisé par un groupe armé?	Un PUTSCH

GÉOGRAPHIE :

Question	Réponse
1) Dans quel pays devrez-vous vous rendre pour visiter l'oeuvre architecturale de l'Antiquité qu'est l'Acropole?	En GRÈCE
2) * dans quelle ville?	À ATHÈNES
3) Quel est le nom de l'Irlande, en gaélique?	EIRE
4) De quel pays européen l'Escaut et la Meuse sont-ils les deux fleuves principaux?	De la BELGIQUE

LITTÉRATURE :

Question	Réponse
1) À quel moment la cigale promettait-elle de remettre les grains qu'elle voulait emprunter?	Avant l'AOÛT
2) Quel écrivain français, célèbre au XXe s., se convertit au catholicisme, le 25 décembre 1886?	Paul CLAUDEL
3) Le nom de quel État des États-Unis a servi de titre à un roman de George Sand?	INDIANA
4) Quel philosophe et écrivain genevois est l'auteur du *Contrat social*, en 1762, année où il publia également son oeuvre philosophique *Émile ou De l'éducation*?	Jean-Jacques ROUSSEAU

DIVERS :

Question	Réponse
1) Nommez les deux grands groupes ethniques et linguistiques composant la Belgique.	* FLAMAND * WALLON
2) * Le premier représente 55% de la population et le second 44%. Quelle autre groupe (1%) complète le tout ?	ALLEMAND
3) Combien de fois la ville de Paris fut-elle choisie pour présenter les Jeux olympiques modernes?	DEUX fois
4) * en quelles années?	* 1900 * 1924

VOCABULAIRE :

	Question	Réponse
1)	Quel mot désigne celui qui fait de l'acrobatie sur une corde raide?	FUNAMBULE
2)	Qu'est-ce qu'une *stèle*?	Un MONUMENT monolithe
3)	Comment nomme-t-on l'action de *rétorquer*?	La RÉTORSION
4)	Quelle expression désigne une personne qui prend ses repas aux frais des autres?	Un *PIQUE-ASSIETTE*

SCIENCES :

	Question	Réponse
1)	Quelles sont les deux inventions de la seconde moitié du XXe siècle que l'on utilisa pour transporter rapidement la flamme aux Jeux olympiques de Montréal, en 1976?	* SATELLITE * LASER
2)	Parmi les 92 éléments naturels, lequel est le plus répandu sur notre planète?	L'OXYGÈNE
3)	Nommez deux des cinq principales parties de la couche atmosphérique.	*TROPOSPHÈRE *STRATOSPHÈRE *MÉSOSPHÈRE
4)	* Nommez-en une autre.	*THERMOSPHÈRE *IONOSPHÈRE

MYTHOLOGIE :

Dieux et déesses chez les Grecs :

	Question	Réponse
1)	de la Justice?	THÉMIS
2)	de la Beauté?	APHRODITE
3)	du Sommeil?	HYPNOS
4)	de l'Amour?	ÉROS

GÉOGRAPHIE :

Le Canada est subdivisé en provinces. Dans les pays suivants, quels noms portent les divisions territoriales :

	Question	Réponse
1)	en Allemagne?	LÄNDER
2)	en Suisse?	CANTONS
3)	aux États-Unis?	ÉTATS
4)	en France?	DÉPARTEMENTS

HISTOIRE :

Napoléon :

	Question	Réponse
1)	Quel surnom donnait-on à Napoléon?	Le *PETIT CAPORAL*
2)	Quel pape présida au couronnement de Napoléon? Il fut emprisonné par lui quelques années plus tard.	PIE VII
3)	En 1814, Napoléon fut gardé en résidence surveillée sur une île de la Méditerranée. De quelle île s'agit-il?	L'île d'ELBE
4)	* À quel pays cette île appartenait-elle?	À l'ITALIE

LITTÉRATURE :

	Question	Réponse
1)	Qui est l'auteur de : *Le Petit Prince* et *Vol de Nuit*?	Antoine de SAINT-EXUPÉRY
2)	* Quel rôle actif joua-t-il durant la Seconde Guerre?	PILOTE de reconnaissance
3)	* Quel *grade* possédait-il?	COMMANDANT
4)	* Son avion fut abattu par un *débutant* allemand, près de St-Raphaël, l'entraînant dans la mort. En quelle année survint cet événement?	En 1944 (le 31 juil.)

LE 7e ART :

Donnez le prénom des actrices ou acteurs suivants :

Question	Réponse
1) Bergman.	INGRID
2) Belmondo.	JEAN-PAUL
3) Peck.	GREGORY
4) De Funès.	LOUIS

PROVERBES :

Complétez les proverbes suivants :

Question	Réponse
1) Péché avoué est...?	* À MOITIÉ... * À DEMI... PARDONNÉ
2) Petit à petit, l'oiseau fait...?	SON NID
3) Les petits ruisseaux font...?	LES GRANDES RIVIÈRES
4) Plaie d'argent n'est pas...?	MORTELLE

BIOLOGIE :

Question	Réponse
1) Quel nom porte l'os qui s'articule dans la jambe avec le tibia et le péroné? Ce nom a servi de titre à un roman et à un film français.	L'ASTRAGALE
2) Un crâne au-dessus de deux os croisés indique le danger. Identifiez ces deux os.	Des FÉMURS
3) Quelles fibres conjonctives relient le fémur à l'os du bassin?	Les LIGAMENTS
4) Nommez deux des trois formes possibles des os réguliers du corps humain?	* PLATS * LONGS * COURTS

MATHÉMATIQUES :

Comment représente-t-on les valeurs suivantes en chiffres romains :

1) 58? | LVIII

2) 94? | XCIV

3) 159? | CLIX

4) 910? | CMX

ÉCONOMIE :

À quel secteurs économiques les activités suivantes se rapportent-elles :

1) la pêche commerciale? | PRIMAIRE

2) la vente au détail? | TERTIAIRE

3) la recherche scientifique? | QUATERNAIRE

4) le raffinage du pétrole? | SECONDAIRE

MUSIQUE CLASSIQUE :

1) Qu'ont en commun les musiciens célèbres suivants : Mozart, Haendel, Beethoven, Chopin, Liszt, Paganini et Rossini? | ENFANTS... ... PRODIGES ... PRÉCOCES...

2) De quel pays sont natifs les compositeurs suivants : Gluck, Haydn, Strauss et Mozart? | D'AUTRICHE

3) Comment nomme-t-on le petit instrument d'acier, qui, mis en vibration, donne le *la* musical? | Le DIAPASON

4) Qui a composé la musique du ballet *Casse-Noisette*? | TCHAÏKOVSKI

	VOCABULAIRE :	
	4 ***noms*** *commençant par la lettre " P " :*	
1)	Ensemble des parties d'une composition musicale~~ Partage ou division d'un territoire~~ Texte d'une composition jouée par un instrument~~	PARTITION
2)	Un tort, un dommage fait à quelqu'un~~ Contre son intérêt, à son détriment~~ Atteinte portée au droit de quelqu'un~~	PRÉJUDICE
3)	Travail supplémentaire donné à un écolier pour le punir~~	PENSUM
4)	Somme économisée par une personne à la suite de son travail~~ Épargne constituée au profit d'un enfant mineur~~	PÉCULE
	RELIGION :	
1)	Quelles sont les deux couleurs du drapeau du Vatican?	* BLANC * JAUNE
2)	Nommez le pasteur noir américain, apôtre de la non-violence et de l'intégration des Noirs, prix Nobel de la paix en 1964, qui fut assassiné à Memphis en 1968.	Martin Luther KING
3)	Dans quelle ville d'Italie le *saint suaire* est-il précieusement conservé?	À TURIN
4)	* Dans quelle région d'Italie cette ville est-elle située?	* PIÉMONT * NORD
	ARTS :	
1)	Quel peintre, beaucoup plus connu comme Premier ministre de Grande-Bretagne, a produit sous le pseudonyme de Charles Marron?	Sir Winston CHURCHILL
2)	Avant 1629, en France, et même plus tard en Angleterre, par qui étaient joués les rôles de femmes au théâtre?	Par des HOMMES
3)	Les mots suivants : dorique, ionique, roman, et corinthien se rattachent à quel domaine des arts?	À l'ARCHITECTURE
4)	Quel célèbre peintre français a révélé Tahiti au monde?	Paul GAUGUIN

OLYMPISME :

	Question	Réponse
1)	Les premiers Jeux de l'Antiquité furent tenus en Grèce... Dans quelle ville?	OLYMPIE
2)	Dans quelle ville eurent lieu les premiers Jeux olympiques modernes?	ATHÈNES
3)	* En quelle année?	1896
4)	Qui fut le rénovateur des Jeux olympiques modernes?	Pierre DE COUBERTIN

LES INDICES D'UNE PERSONNALITÉ :

	Indice	Réponse
A	Il est né à La Tuque, au Québec, le 2 août 1914.	Félix LECLERC
B	Il a été speaker à la radio et a fait du théâtre avec les *Compagnons de Saint-Laurent*.	
C	Il a écrit des romans, des poèmes, des chansons, particulièrement sur la nature québécoise.	
D	En 1951, il a remporté le *Grand Prix du disque* de l'Académie Charles-Cros grâce à sa chanson *Moi, mes souliers*. Il est décédé le 8 août 1988.	

DIVERS :

	Question	Réponse
1)	Quel ingénieur a conçu la tour Eiffel?	Gustave EIFFEL
2)	* Pour quel événement cette tour fut-elle cons-truite?	* EXPOSITION INTERNATIO-NALE DE PARIS * CENTENAIRE DE LA RÉVOLU-TION FRANÇAISE
3)	* En quelle année cette exposition fut-elle tenue?	En 1889
4)	Qui surnommait-on *les écumeurs de mer*?	Les PIRATES

GÉOGRAPHIE :

Sous quel nom désigne-t-on :

	Question	Réponse
1)	L'Irlande du Nord, la partie rattachée à la Grande-Bretagne?	L'ULSTER
2)	L'Irlande du Sud?	* EIRE * RÉPUBLIQUE D'IRLANDE
	Quelle est la capitale :	
3)	de la République d'Irlande?	DUBLIN
4)	de l'Irlande du Nord?	BELFAST

LITTÉRATURE :

	Question	Réponse
1)	Qui a écrit : "On a souvent besoin d'un plus petit que soi"?	Jean de LAFONTAINE
2)	Dans une note au bas d'une page, quel mot latin indique un nouveau renvoi à une source que l'on vient de citer?	* IBID * IBIDEM
3)	Les trois soeurs, Charlotte, Emily et Anne, femmes de lettres britanniques, écrivaient dès l'âge de 13 ans. Citez leur nom de famille.	BRONTË
4)	Qui a écrit *Rêveries d'un promeneur solitaire,* de 1776 à 1778?	Jean-Jacques ROUSSEAU

FRANÇAIS :

	Question	Réponse
1)	Lorsqu'on dit de quelqu'un qu'il a beaucoup de mémoire, on dit qu'il a une mémoire... de quel animal?	D'ÉLÉPHANT
2)	* et s'il a une mauvaise mémoire?	* De LIÈVRE * D'OISEAU
3)	Quel qualificatif, commençant par la lettre "F", désigne un repas simple, sobre, austère, léger?	FRUGAL
4)	Quelle est la *nature* des mots suivants : *vous, qui, lequel, n'importe qui*?	Des PRONOMS

ZOOLOGIE :

	Question	Réponse
1)	Quel oiseau peut voler le plus vite? (160 à 185 mi/hre,* 255 à 300 km/hre, en plongée).	Le FAUCON PÈLERIN
2)	Qu'est-ce qu'un *méhari*?	Un DROMADAIRE
3)	La *raie* est une sorte de poisson. Quelle est sa principale caractéristique?	* PLAT * NAGE À L'HORIZONTALE
4)	Combien de jours une poule doit-elle couver ses oeufs pour voir naître ses poussins? (à 1 ±)	21 jours

DIVERS :

	Question	Réponse
1)	On dit que la cathédrale St-Patrick de New York a été construite sur le modèle d'une célèbre cathédrale gothique d'Allemagne. Laquelle?	De COLOGNE
2)	Qu'est-ce qu'une *campanule*?	Une FLEUR
3)	Un touriste de passage en Amérique latine est susceptible de souffrir d'une gastro-entérite à cause de l'eau. Quel nom populaire donne-t-on à cette *maladie du voyageur*?	La *TURISTA*
4)	Comment nomme-t-on le cri de l'éléphant ou du rhinocéros?	Le BARRISSEMENT

GÉOGRAPHIE :

	Question	Réponse
1)	Nommez la capitale de la Russie.	MOSCOU
2)	Quelle est la seconde ville en importance de ce pays?	SAINT-PÉTERSBOURG
3)	* Nommez l'un des deux autres noms que porta cette ville au XXe siècle.	* PETROGRAD * LENINGRAD
4)	Dites le nom de la capitale du Luxembourg.	LUXEMBOURG

HISTOIRE :
Napoléon Bonaparte :

1) En 1815, dans quelle ville se déroula la bataille décisive mettant fin à la carrière de Napoléon? | WATERLOO

2) * Dans quel pays se trouve cette ville? | En BELGIQUE

3) Quelle expression désigne le temps écoulé entre son retour de l'île d'Elbe et la bataille de Waterloo? | *LES 100 JOURS*

4) Sur quelle île de l'Atlantique Sud fut exilé Napoléon de 1815 à sa mort? | SAINTE-HÉLÈNE

LITTÉRATURE :

1) De quel roman Jean Valjean est-il le principal personnage? | *LES MISÉRABLES*

2) * Qui en est l'auteur? | Victor HUGO

3) Comment se nomme le marin dont Jonathan Swift a décrit les voyages extraordinaires? | GULLIVER

4) Quel grand écrivain français est né à Genève, Suisse, en 1712? | Jean-Jacques ROUSSEAU

GÉOGRAPHIE :

1) Quel est le plus grand désert du monde? | Le SAHARA

2) * lequel se classe au second rang? | D'AUSTRALIE

3) * le troisième? | D'ARABIE

4) Comment dit-on *Finlande* dans la langue du pays? | SUOMI

VOCABULAIRE :	
1) Comment appelle-t-on un collectionneur de monnaie?	NUMISMATE
2) * de timbres?	PHILATÉLISTE
3) * de livres?	BIBLIOPHILE
4) Quel mot désigne une période de dix ans?	* DÉCENNIE * (DÉCADE)
PHYSIQUE :	
1) En 1602, quel scientifique établit la loi de la chute des corps?	Galileo GALILÉE
2) Quel physicien anglais a démontré que la lumière blanche peut se décomposer en plusieurs couleurs?	Isaac NEWTON
3) Quelle loi prouve-t-on avec le tube de Newton sur la chute des corps tombant dans le vide?	TOMBENT TOUS À LA MÊME VITESSE
4) Quelle loi établit la résistance d'un courant électrique?	La LOI D'OHM
MATHÉMATIQUES :	
1) Un chapon pèse 3/4 de son poids plus 3/4 d'un kilogramme. Combien pèse-t-il?	3 KILOGRAMMES
2) Un triangle est inséré dans un rectangle. Leur base est commune et égale. Quel pourcentage de la surface du rectangle couvre-t-il si son sommet touche au côté opposé?	50 %
3) Quel chiffre complète la progression suivante : 4, 5, 3, 6, 2, 7, 1, 8, 0 ... et?	9
4) Que vaut 5 au cube?	125

ÉCONOMIE :

1) Comment s'appelle la différence entre la valeur des importations et celle des exportations d'un pays? | La BALANCE COMMERCIALE

2) Complétez: La prospérité d'une nation se reconnaît par une hausse de son niveau...? | DE VIE

3) Quel *revenu* résulte du total des services et des biens produits dans un pays? | Le REVENU NATIONAL

4) Complétez: Le Produit National est distribué aux travailleurs lorsqu'ils reçoivent leurs...? | SALAIRES

MUSIQUE CLASSIQUE :

Quels sont les auteurs des oeuvres suivantes :

1) *La Polonaise héroïque*? | CHOPIN

2) *Ave Maria*? (par l'auteur autrichien). | SCHUBERT

3) *Ave Maria*? (par l'auteur français). | GOUNOD

4) *Rêve d'amour*? | LISZT

VOCABULAIRE :

Quel qualificatif ou quel nom donne-t-on (ou donnait-on) aux hommes suivants :

1) Aux navigateurs de Venise? | GONDOLIERS

2) Aux navigateurs de la Volga? (en Russie) | BATELIERS

3) Aux soldats russes de la région du Don? | COSAQUES

4) Aux soldats catholiques, volontaires, qui défendirent les États pontificaux durant les années 1860? | ZOUAVES

RELIGION :

	Question	Réponse
1)	Comment nomme-t-on l'assemblée des cardinaux pour élire un pape?	Un CONCLAVE
2)	Quel mot désigne un traité entre le pape et un gouvernement, sur les affaires religieuses?	Un CONCORDAT
3)	Quel mot désigne la réunion d'évêques, de cardinaux et de théologiens, pour décider de questions de discipline, de doctrine se rapportant à la religion?	Un CONCILE
4)	Quel mot désigne un décret du pape, habituellement scellé de plomb? Servait autrefois particulièrement pour les excommunications.	Une BULLE

GÉOGRAPHIE :

Quelle est la principale langue parlée dans chacun des pays suivants :

	Question	Réponse
1)	au Pérou?	L'ESPAGNOL
2)	en Irlande?	L'ANGLAIS
3)	en Suisse? (environ 65% de la population)	L'ALLEMAND
4)	en Algérie?	L'ARABE

SPORTS :

	Question	Réponse
1)	De quel sport, le *Balai d'argent* couronne-t-il chaque année le championnat mondial?	Le CURLING
2)	* De quel pays ce sport est-il originaire?	D'ÉCOSSE
3)	Quel célèbre joueur de baseball avait-on surnommé le *Bambino*?	Babe RUTH
4)	Dans l'argot du baseball, qu'est-ce qu'un *Grand chelem*?	Un COUP DE CIRCUIT AVEC BUTS REMPLIS

	LES INDICES D'UNE PERSONNALITÉ :	
A)	Ce Britannique célèbre est décédé en avril 1980.	Alfred HITCHCOCK
B)	Il fit carrière au cinéma.	
C)	Il fut l'un des plus célèbres réalisateurs de 1930 à 1980.	
D)	Le suspense était sa spécialité... particulièrement dans le secteur des films policiers.	
	ÉCONOMIE :	
	Dans quels pays fabrique-t-on les automobiles de marques suivantes :	
1)	la Jaguar?	En GRANDE-BRETAGNE
2)	l'Opel?	En ALLEMAGNE
3)	la Volvo?	En SUÈDE
4)	la Sirena?	En POLOGNE
	GÉOGRAPHIE :	
1)	Nommez deux des quatre pays adjacents à l'Autriche, à l'ouest.	* ITALIE * SUISSE * ALLEMAGNE * LIECHTENSTEIN
2)	* Nommez-en un troisième.	
3)	Quelle est la capitale du Portugal?	LISBONNE
4)	* Quelle est son unité monétaire?	L'ESCUDO

HISTOIRE :

Napoléon :

Question	Réponse
1) Quel pays fut vaincu par Napoléon à Austerlitz, en 1805?	L'AUTRICHE
2) Marie Walewska fut la maîtresse de Napoléon. De quel pays était-elle originaire?	De la POLOGNE
3) Quel pays garda Napoléon captif sur l'île Sainte-Hélène, dans l'Atlantique Sud?	* L'ANGLETERRE * La GRANDE-BRETAGNE
4) En quelle année Napoléon 1er est-il mort?	En 1821 (le 5 mai)

LITTÉRATURE :

Quel écrivain créa chacun des personnages des romans policiers suivants :

Question	Réponse
1) Maigret?	Georges SIMENON
2) Hercule Poirot?	Agatha CHRISTIE
3) Sherlock Holmes?	Sir Arthur CONAN-DOYLE
4) Miss Marple?	Agatha CHRISTIE

DIVERS :

Question	Réponse
1) Quel mot désigne une grandeur ou une mesure type pour servir à définir une unité? (exemple : le mètre, le décimètre cube...)	ÉTALON
2) Deux villes du Névada ont une réputation mondiale... Laquelle est considérée comme la capitale du divorce?	RENO
3) * Celle du jeu?	LAS VEGAS
4) Dans l'hémisphère nord, en quelle saison la Terre est-elle le plus près du Soleil?	En HIVER

VOCABULAIRE :

	Question	Réponse
1)	Comment nomme-t-on celui qui fait l'élevage des abeilles?	APICULTEUR
2)	Comment appelle-t-on l'endroit réservé pour le décollage et l'atterrissage des hélicoptères?	HÉLIPORT
3)	Quel qualificatif attribue-t-on à celui qui hait les femmes?	MISOGYNE
4)	*... à celui qui hait le genre humain?	MISANTHROPE

CHIMIE :

	Question	Réponse
1)	Quand une réaction chimique crée-t-elle ou détruit-elle de la matière?	JAMAIS
2)	* Quel chimiste a énoncé la première théorie à cet effet?	Antoine LAVOISIER
3)	* Résumez cette théorie.	RIEN NE SE PERD, RIEN NE SE CRÉE
4)	* En quel siècle cette théorie a-t-elle été énoncée?	XVIIIe

GÉOGRAPHIE :

	Question	Réponse
1)	Identifiez le plus long fleuve de France.	La LOIRE
2)	* le second?	Le RHÔNE
3)	* le troisième?	La SEINE
4)	Dans quelle ville de France est situé le *Palais des Papes*?	AVIGNON

LITTÉRATURE :

	Question	Réponse
1)	Quel poète grec est l'auteur de l'*Iliade* et l'*Odyssée*?	HOMÈRE
2)	Quel écrivain français est l'auteur de *le Pain dur* et *le Père humilié*?	Paul CLAUDEL
3)	Citez le plus célèbre ouvrage composé par René Descartes.	*LE DISCOURS DE LA MÉTHODE*
4)	Comment se nomme le *bossu* dans *Notre-Dame de Paris*, de Victor Hugo?	QUASIMODO

DIVERS :

Quatre artistes américains de réputation internationale sont décédés à quelques mois d'intervalle; sauriez-vous les identifier :

	Question	Réponse
1)	Acteur né le 26 mai 1907 en Iowa (É-U), décédé le 11 juin 1979. Spécialiste des westerns.	John WAYNE
2)	Comédien britannique, né le 8 septembre 1925, décédé le 23 juillet 1980... *la Panthère Rose*.	Peter SELLERS
3)	Chanteur né le 5 novembre 1938 à New York, décédé le 21 août 1980 à Tahiti... *L'Été indien*.	Joe DASSIN
4)	Comédien né le 24 mars 1930 au Missouri (É-U), décédé le 7 novembre 1980...*Papillon*.	Steve McQUEEN

PROVERBES :

Complétez les proverbes suivants :

	Question	Réponse
1)	À tout seigneur...?	TOUT HONNEUR
2)	Les bons comptes font...?	LES BONS AMIS
3)	Ce que femme veut...?	DIEU LE VEUT
4)	Donner un oeuf pour avoir...?	UN BOEUF

ASTRONOMIE :

	Question	Réponse
1)	Quelle planète de notre système solaire est la plus rapprochée du Soleil?	MERCURE
2)	* la seconde?	VÉNUS
3)	* la quatrième?	MARS
4)	* la troisième?	La TERRE

MATHÉMATIQUES :

N.B. attendre le signal *égale* :

	Question	Réponse
1)	128 ÷ 2 + 6 ÷ 10 ... *égale*?	7
2)	Le tiers de 333 - 61 ÷ 5 X 2 ... *égale*?	20
3)	13 X 3 - 3 ÷ 3 - 11 ... *égale*?	1
4)	25 X 9 ÷ 10 X 2 ... *égale*?	45

ÉCONOMIE :

	Question	Réponse
1)	Pour qu'une nation prospère, quelle secteur de son commerce doit être florissant?	* EXTÉRIEUR * AVEC L'ÉTRANGER
2)	Pour l'ensemble d'un pays, comment qualifie-t-on l'utilisation quasi entière de la main-d'oeuvre disponible?	PLEIN EMPLOI
3)	Quel est le premier *cadre économique*, le plus près de nous, qu'il nous est facile d'étudier?	La FAMILLE
4)	Nommez deux des quatre premières nécessités à satisfaire pour une famille.	* LOGEMENT * NOURRITURE * AMEUBLEMENT * HABILLEMENT

MUSIQUE CLASSIQUE :	
1) Qui est l'auteur de l'opéra *Fidelio*?	BEETHOVEN
2) * de *Madame Buttterfly*?	PUCCINI
3) * de *Otello*?	VERDI
4) Quel célèbre Viennois a composé les valses suivantes : *Valse de l'Empereur, Contes de la forêt viennoise,* et *le Beau Danube bleu*?	Johann II STRAUSS

GÉOGRAPHIE :	
1) Quelle ville américaine a été surnommée *la Ville du cinéma*?	HOLLYWOOD
2) Nommez deux des trois pays qui ont une frontière commune avec la Finlande.	* La SUÈDE * La RUSSIE * La NORVÈGE
3) Comment désigne-t-on une étendue d'eau salée derrière une bande de sable la séparant de la mer?	Une LAGUNE
4) Avant l'époque de Christophe Colomb, quelle forme avait la Terre, selon la majorité des Européens?	Étendue PLATE

DIVERS :	
1) Comment nomme-t-on la description graphique d'une partie de territoire sur un plan?	TOPOGRAPHIE
2) À l'heure normale, lorsqu'il est midi à New York, quelle heure est-il à Londres?	17 h
3) Au Mexique, il n'y a pas de services pétroliers Texaco, Ultramar, Shell, EXXON... Pourquoi?	CONTRÔLE ÉTATIQUE
4) * Quel nom portent les postes d'essence mexicains?	*PEMEX* (Pétrole-Mexique)

RELIGION :

	Question	Réponse
1)	Dans quelle ville italienne saint Antoine a-t-il vécu?	PADOUE
2)	* Et saint François?	ASSISE
3)	* À quel ordre religieux ces deux saints appartenaient-ils?	* FRANCISCAINS * FRÈRES MINEURS
4)	Quel nom porte le premier dimanche après Pâques?	QUASIMODO

OLYMPISME :

	Question	Réponse
1)	Que représentent les cinq anneaux du drapeau olympique?	Les CINQ CONTINENTS
2)	Qui a dit "Le plus important aux Jeux olympiques n'est pas d'y vaincre, mais d'y prendre part"?	Pierre DE COUBERTIN
3)	* Il a relancé les jeux olympiques en 1896. De quelle nationalité était ce rénovateur?	FRANÇAISE
4)	Citez la devise latine des Jeux.	*CITIUS, ALTIUS, FORTIUS*

LES INDICES D'UNE PERSONNALITÉ :

	Indice	Réponse
A)	Ce médecin est décédé à 90 ans, le 4 septembre 1965.	Albert SCHWEITZER
B)	Il remporta le prix Nobel de la paix en 1952.	
C)	Il passa la majeure partie de sa vie sur le continent africain.	
D)	En 1913, il fonda une léproserie à Lambaréné, au Gabon, où il consacra son temps à la médecine.	

LITTÉRATURE :

Les contes d'enfants :

	Question	Réponse
1)	Quel personnage trouva une lampe magique?	ALADIN
2)	Quel personnage vivait avec sept nains?	BLANCHE-NEIGE
3)	Quel personnage avait accès à une caverne remplie de trésors?	ALI BABA
4)	* Citez le mot de passe qui faisait ouvrir les portes de cette caverne.	*SÉSAME, OUVRE-TOI*

GÉOGRAPHIE :

Identifiez la capitale des pays suivants :

	Question	Réponse
1)	Panama?	PANAMA
2)	Venezuela?	CARACAS
3)	Costa Rica?	SAN JOSÉ
4)	Espagne?	MADRID

HISTOIRE :

	Question	Réponse
1)	En 1494, qui partagea le Nouveau-Monde entre l'Espagne et le Portugal, par le traité de Tordesillas?	Le PAPE (Alexandre VI)
2)	La construction du barrage d'Assouan, en Égypte, nécessita le déménagement de deux temples célèbres construits sous le règne du pharaon Ramsès II. Quel nom porte le site de ces deux temples?	ABOU-SIMBEL
3)	Quel pays européen, voisin de la France, a été créé en 1830?	La BELGIQUE
4)	À quelle dynastie française Louis XIV appartenait-il?	Des BOURBONS

LITTÉRATURE :

Donnez le prénom des écrivains français suivants :

	Question	Réponse
1)	Duhamel?	GEORGES
2)	Aragon?	LOUIS
3)	DuGard?	MARTIN
4)	Claudel?	PAUL

DIVERS :

	Question	Réponse
1)	Qu'est-ce qu'un *chenil*?	LOGEMENT pour les CHIENS
2)	À quels Français attribue-t-on l'invention du cinéma?	Les frères LUMIÈRE (Auguste + Louis)
3)	Comment appelle-t-on les limites d'un pays?	Les FRONTIÈRES
4)	Quel cri fait entendre le pigeon?	ROUCOULEMENT

FRANÇAIS :

	Question	Réponse
1)	Si vous n'aimez pas les Français, on dira que vous êtes...?	FRANCOPHOBE
2)	*... et si c'était les Allemands?	GERMANOPHOBE
3)	Quel verbe désigne : *couper les branches inutiles d'un arbre*?	* ÉMONDER * ÉLAGUER
4)	Qu'est-ce qu'une *hyacinthe*?	Une PIERRE fine (joaillerie)

BOTANIQUE :

	Question	Réponse
1)	Quel mot désigne l'ensemble des espèces végétales d'une région?	La FLORE
2)	Quel autre nom désigne l'*arbre caoutchouc*?	L'HÉVÉA
3)	Quelle variété d'arbre serait le plus vieux du monde?	Le FIGUIER
4)	Quel nom porte la division de l'horticulture qui étudie les fleurs?	La FLORICULTURE

DIVERS :

	Question	Réponse
1)	De quel pays la *csardas* ou *kzardas* est-elle une danse populaire?	De la HONGRIE
2)	Comment désigne-t-on l'art de lire dans les cartes?	CARTOMANCIE
3)	* dans les lignes de la main?	CHIROMANCIE
4)	* dans une boule de cristal?	CATOPTRO-MANCIE

GÉOGRAPHIE :

	Question	Réponse
1)	Nommez deux des quatre pays arabes ayant une frontière commune avec Israël.	* LIBAN * JORDANIE * ÉGYPTE * SYRIE
2)	* Citez les deux autres.	
3)	Quelle ville forte, la Grande-Bretagne possède-t-elle au sud de l'Espagne, depuis 1713? (par le traité d'Utrecht).	GIBRALTAR
4)	Comment les Grecs nommaient-ils les deux monts situés de chaque côté du détroit de Gibraltar?	Les COLONNES D'HERCULE

LITTÉRATURE :

	Question	Réponse
1)	Quel nom portait la baleine qui trancha une jambe du capitaine Achab?	MOBY DICK
2)	Quel titre Alexandre Dumas a-t-il donné à son roman dont l'histoire se déroule 20 ans après celle des *Trois Mousquetaires*?	*VINGT ANS APRÈS*
3)	À quelle doctrine philosophique associez-vous Jean-Paul Sartre?	À l'EXISTENTIALISME
4)	Qui a-t-on surnommé *le Père de la Tragédie française*?	Pierre CORNEILLE

LE 7e ART :

Donnez le prénom de chacun des acteurs (ou actrices) suivants:

	Question	Réponse
1)	MacLaine?	SHIRLEY
2)	Hoffman?	DUSTIN
3)	Sellers?	PETER
4)	Kelly?	* GRACE * GENE

VOCABULAIRE :

	Question	Réponse
1)	Quel nom désigne l'action de fléchir?	FLEXION
2)	Quelle expression désigne la position à cheval, les deux jambes du même côté?	MONTER EN AMAZONE
3)	Quel nom a un lien de définition avec une plante potagère à racine comestible, et une oeuvre littéraire ou artistique sans valeur?	Un NAVET
4)	Quel est l'ancien nom pour désigner l'avion?	L'AÉROPLANE

BIOLOGIE :

	Question	Réponse
1)	Quel organe produit un liquide digestif qui s'accumule dans la vésicule biliaire?	Le FOIE
2)	* Quel nom porte ce liquide?	La BILE
3)	Comment se nomme le trou noir au centre de l'oeil?	La PUPILLE
4)	Quel nom porte le cercle coloré et strié de l'oeil?	L'IRIS

MATHÉMATIQUES :

	Question	Réponse
1)	J'ai un triangle. Je multiplie la base par la hauteur, puis je divise par deux. Quel résultat vais-je obtenir?	* Sa SUPERFICIE * Sa SURFACE * Son AIRE
2)	Que vaut la racine carrée de un virgule zéro?	UN
3)	Comment nomme-t-on une forme propositionnelle composée de deux expressions algébriques réunies par un des signes d'inégalité?	Une INÉQUATION
4)	Quelle est la somme de 172 et 89?	261

ÉCONOMIE :

	Question	Réponse
1)	Quel est le premier élément nécessaire à la production industrielle?	La MATIÈRE PREMIÈRE
2)	En économie, comment qualifie-t-on les productions de l'artiste, du musicien, du chansonnier...?	Productions IMMATÉRIELLES
3)	Autrefois, comment désignait-on les échanges, avant l'apparition généralisée de la monnaie?	Le TROC
4)	Dans une entreprise, quels sont les capitaux qui restent après la production?	Les CAPITAUX FIXES

MUSIQUE CLASSIQUE :

	Question	Réponse
1)	Quel compositeur allemand, devenu sourd, continua d'écrire des oeuvres célèbres?	Ludwig Van BEETHOVEN
2)	De quelle nationalité était Frédéric Chopin?	POLONAISE
3)	* et Tchaïkovski?	RUSSE
4)	Qui, en 1786, composa l'opéra *les Noces de Figaro*?	W. Amadeus MOZART

ARTS :

	Question	Réponse
1)	De quelle nationalité était Van Gogh?	NÉERLANDAISE
2)	Qui a peint *la Joconde*?	LÉONARD DE VINCI
3)	Quel peintre et graveur allemand, né à Nuremberg en 1471, est célèbre pour sa reproduction des mains en prière?	Albrecht DÜRER
4)	Quel nom a-t-on donné à la Vénus sans bras, découverte en 1820, et provenant de l'île grecque portant son nom?	La Vénus de MILO

GÉOGRAPHIE :

Dites quelles villes sont desservies par les aéroports suivants :

	Question	Réponse
1)	La Guardia?	NEW YORK
2)	Santos-Dumont?	RIO DE JANEIRO
3)	Orly?	PARIS
4)	Tegel?	BERLIN

DIVERS :

	Question	Réponse
1)	Quelle est la première lettre de l'alphabet grec?	ALPHA
2)	* Quelle est la seconde lettre de l'alphabet grec?	BÊTA
3)	Par quelle lettre grecque désigne-t-on le rapport entre le diamètre d'un cercle et sa circonférence?	PI (π) (3,1416)
4)	Nommez la dernière lettre de l'alphabet grec.	OMÉGA

RELIGION :

	Question	Réponse
1)	Nommez la plus grande église (bâtisse) du monde.	SAINT-PIERRE de Rome
2)	Qui fut le premier pape?	Saint PIERRE
3)	Dans quelle chapelle du Vatican se tiennent les conclaves?	SIXTINE
4)	Quel philosophe et théologien a écrit, au Ve siècle, *la Cité de Dieu* et *les Confessions*?	Saint AUGUSTIN

OLYMPISME :

	Question	Réponse
1)	Dans quelle ville furent tenus les jeux Olympiques d'été de 1980?	MOSCOU
2)	* Ceux d'hiver, la même année?	LAKE PLACID
3)	* En quelle année avaient-ils aussi déjà eu lieu dans cette ville?	En 1932
4)	Dans quelle ville européenne furent tenus les Jeux d'hiver de 1984?	SARAJEVO

LES INDICES D'UNE PERSONNALITÉ :

	Question	Réponse
A)	Elle est née en Chine , d'un père chinois et d'une mère belge.	Han SUYIN
B)	Elle est romancière, médecin et experte en démographie.	
C)	Elle a écrit sept livres sur la Chine et plusieurs autres sur divers pays d'Asie.	
D)	Elle est une féministe *convaincue*; elle voyage beaucoup et a donné des conférences sur *la Libération de la femme*.	

GÉOGRAPHIE :

	Question	Réponse
1)	Quels sont les deux grands pays qui font partie de la péninsule ibérique?	* L'ESPAGNE * Le PORTUGAL
2)	À quel pays appartient l'île de Pâques, dans le Pacifique?	Au CHILI
3)	* Et les îles Galápagos?	À l'ÉQUATEUR
4)	Identifiez la région balnéaire la plus renommée du Portugal.	L'ALGARVE

HISTOIRE :

	Question	Réponse
1)	De l'an 222 à 1439, il y eut trente-six pseudo-papes élus irrégulièrement, non reconnus officiellement par l'Église. Quel nom les désignent?	Les ANTIPAPES
2)	En l'an 1095, quel pape organisa la première expédition des Croisés en Terre Sainte?	URBAIN II
3)	L'impôt qui disparut avec la Révolution française de 1789, était établi depuis 1340. Quel nom lui donnait-on?	La GABELLE
4)	* Quel produit était taxé par cet impôt?	Le SEL

LITTÉRATURE :

Question	Réponse
1) Des guerres de quel personnage historique Tolstoï s'est-il inspiré pour écrire *Guerre et Paix*?	NAPOLÉON
2) Qui est l'auteur de *Don Quichotte de la Manche*?	Miguel de CERVANTÈS
3) Dans *les Misérables* de Victor Hugo, comment se nomme le personnage qui est constamment poursuivi par le policier Javert?	Jean VALJEAN
4) Roger Martin duGard a écrit l'histoire d'une famille française du début du XXe siècle. De quelle famille s'agit-il?	Les THIBAULT

DIVERS :

Question	Réponse
1) Le célèbre armateur grec Aristote Onassis a épousé la veuve du président John F. Kennedy. Quel est le nom à la naissance de cette femme?	BOUVIER Jacqueline
2) * Quelle célèbre cantatrice avait-il épousée auparavant?	Maria CALLAS
3) Si l'on vous parle de "goémon" ou de "varech", de quoi vous parle-t-on?	D'ALGUES marines
4) * Quelle utilité le cultivateur peut-il tirer du varech?	ENGRAIS

PROVERBES :
Complétez les proverbes suivants :

Question	Réponse
1) Autant en emporte...?	LE VENT
2) L'argent n'a pas...?	D'ODEUR
3) Beaucoup de bruit pour...?	RIEN
4) Bien faire et...?	*LAISSER DIRE *LAISSER BRAIRE

ASTRONOMIE :

	Question	Réponse
1)	Quelle célèbre comète est revenue en 1986 après avoir passé près de la Terre en 1910?	De HALLEY
2)	De quelle constellation l'étoile Polaire fait-elle partie?	De la PETITE OURSE
3)	Quel genre de courbe empruntent les planètes dans leur trajectoire autour du Soleil?	ELLIPTIQUE
4)	Comment appelle-t-on un astre qui gravite autour d'une planète?	Un SATELLITE

DIVERS :

Comment dit-on en espagnol :

	Question	Réponse
1)	Bonjour (le matin)?	BUENOS DIAS
2)	Bonjour (l'après-midi)?	BUENAS TARDES
3)	Bonsoir, bonne nuit?	BUENAS NOCHES
4)	Au revoir?	HASTA LUEGO

GÉOGRAPHIE :

	Question	Réponse
1)	L'île du Sri Lanka est située au sud de l'Inde. Quel était son nom auparavant?	CEYLAN
2)	Comment s'appelle aujourd'hui l'ancienne Mésopotamie?	L'IRAK
3)	De quel pays la Tunisie a-t-elle été sous protectorat avant son indépendance?	De la FRANCE
4)	Nommez la capitale de l'État d'Israël.	JÉRUSALEM

LITTÉRATURE :

	Question	Réponse
1)	Quel nom désigne une pièce de poésie de 14 vers?	Un SONNET
2)	Quel roman d'André Gide porte le même titre qu'une oeuvre de Beethoven?	*LA SYMPHONIE PASTORALE*
3)	Nommez l'auteur de *Une Ville flottante*, *L'île à hélice* et *Voyage au Centre de la Terre*.	Jules VERNE
4)	Combien y a-t-il de fauteuils à l'*Académie française*?	QUARANTE

ÉCONOMIE :

Identifiez l'unité monétaire des pays suivants :

	Question	Réponse
1)	l'Inde?	La ROUPIE indienne
2)	la Roumanie?	Le LEU
3)	l'Allemagne?	Le MARK
4)	la Hongrie?	Le FORINT

FRANÇAIS :

Cri des animaux : Que fait chacun des animaux suivants ::

	Question	Réponse
1)	le coq?	* CHANTE * COQUERIQUE
2)	le corbeau?	CROASSE
3)	la corneille?	CRIAILLE
4)	le crapaud?	COASSE

SCIENCES GÉNÉRALES :

	Question	Réponse
1)	Pour quelle raison ne peut-on pas plonger la main dans l'eau pure à 25 degrés Fahrenheit?	L'eau se SOLIDIFIE à 32°F (32ºF = 0ºC)
2)	Quelle science occulte est l'ancêtre de la chimie?	L'ALCHIMIE
3)	Nommez le vase à col étroit et tourné utilisé autrefois en alchimie, et aujourd'hui en chimie.	La CORNUE
4)	Nommez deux des trois principales formes d'énergie, qui peuvent être utilisées pour activer une locomotive.	* La VAPEUR * L'ÉLECTRICITÉ * Le MAZOUT

MATHÉMATIQUES :

Quel nom porte le polygone :

	Question	Réponse
1)	à six côtés?	L'HEXAGONE
2)	à sept côtés?	L'HEPTAGONE
3)	à huit côtés?	L'OCTOGONE
4)	à douze côtés?	Le DODÉCAGONE

ÉCONOMIE :

	Question	Réponse
1)	Le *krach* économique de 1929 a prouvé que le *Monde Economique* ne peut agir sans contrôle. Quel intervenant doit s'imposer?	* L'ÉTAT * Le GOUVERNEMENT
2)	Comment appelle-t-on le fait que plusieurs activités ou produits semblables s'offrent au choix de l'acheteur?	La CONCURRENCE
3)	Comment désigne-t-on l'exploitation d'une entreprise, en partie par l'État, en partie par l'entreprise privée?	L'exploitation MIXTE
4)	Comment appelle-t-on le transfert de la propriété privée vers la propriété d'État?	* ÉTATISATION * NATIONALISATION

MUSIQUE CLASSIQUE :

Question	Réponse
1) D'une oeuvre de quel compositeur, la *Marche nuptiale* est-elle le nom populaire d'un extrait?	MENDELSSOHN-Bartholdy
2) Qui a composé *le Lac des Cygnes*?	TCHAÏKOVSKI
3) Dans quel opéra célèbre peut-on entendre : "Toréador, prends garde..."?	*CARMEN* (de Bizet)
4) Qui est l'auteur de *la Flûte enchantée*?	MOZART

VOCABULAIRE :

*4 **noms** commençant par la lettre " G " :*

Question	Réponse
1) Cuisse de mouton, d'agneau, de chevreuil, coupée pour la table~~	GIGOT
2) Levier d'une grenade à main que l'on tire pour l'amorcer~~	GOUPILLE
3) Origine~~ Développements successifs~~ Avec une majuscule, c'est le premier livre de la Bible~~	GENÈSE
4) Quel mot a un rapport de sens avec les deux suivants : *froideur* et *miroir*?	GLACE

ARTS :

Question	Réponse
1) Quel nain génial, peintre célèbre, fut le héros du film *Moulin Rouge*?	Henri de TOULOUSE-LAUTREC
2) À quel mouvement artistique associez-vous le peintre Claude Monet?	À l'IMPRESSIONISME
3) Quelle fut la plus grande oeuvre de l'artiste français Bartholdi? Elle date de 1886.	La STATUE DE LA LIBERTÉ
4) À quel mouvement associez-vous le peintre Henri Matisse?	Au FAUVISME

DIVERS :

	Question	Réponse
1)	Comment se nomme le célèbre bureau de police de Londres?	SCOTLAND YARD
2)	Quelle "pierre" les alchimistes recherchaient-ils?	La pierre PHILOSOPHALE
3)	Quel oiseau échassier glapit?	La GRUE
4)	Quel célèbre château fut construit sur une île, au large de Marseille?	Château d'IF

RELIGION :

	Question	Réponse
1)	Dans quelle ville Jésus-Christ est-il né?	BETHLÉEM
2)	* Dans quel pays actuel est située cette ville?	En JORDANIE
3)	Dans quel lac eut lieu la pêche miraculeuse de Jésus avec ses disciples?	* TIBÉRIADE * GÉNÉSARETH
4)	Sur quel mont Jésus fut-il crucifié?	GOLGOTHA

SPORTS :

	Question	Réponse
1)	Au bowling, combien faut-il d'abats consécutifs pour obtenir une partie parfaite?	DOUZE
2)	À quel jeu moderne le jeu de *paume* donna-t-il naissance?	Le TENNIS
3)	Nommez les deux plus grands hippodromes d'Angleterre.	* EPSOM * ASCOT
4)	Par quel peuple fut inventé le jeu de *crosse*?	Les AMÉRINDIENS

LES INDICES D'UNE PERSONNALITÉ :

Question	Réponse
A) Cet Américain est né à Brookline, au Massachusetts, en 1917.	JOHN F. KENNEDY
B) Politicien, il était représentant du parti Démocrate.	
C) Il fut élu Président des États-Unis en 1960.	
D) On l'assassina à Dallas, Texas, le 22 novembre 1963.	

DIVERS :

Question	Réponse
1) Qu'entend-on par un *Disciple d'Esculape*?	Un MÉDECIN
2) Les religieux font généralement trois voeux : le premier, celui de célibat (chasteté). Nommez l'un des deux autres.	* PAUVRETÉ * OBÉISSANCE
3) En Écosse, qu'est-ce qu'un *tartan*?	Une ÉTOFFE À CARREAUX
4) Quelle principale danse peut-on associer au Brésil?	* La SAMBA * La LAMBADA

GÉOGRAPHIE :

Question	Réponse
1) Quelle est la capitale de la Suisse?	BERNE
2) * Quelle rivière, affluent du Rhin, baigne cette ville? Elle s'écrit en trois lettres seulement.	L'AAR
3) Quatre pays européens ont une frontière commune avec la Roumanie. Identifiez-en deux.	* L'UKRAINE * La BULGARIE * La MOLDAVIE * La HONGRIE * La SERBIE
4) * Nommez-en un troisième.	

HISTOIRE :

Question	Réponse
1) Quelle civilisation amérindienne a atteint un haut degré de civilisation, entre l'an 320 et 1687, dans la région du Yucatán, au Mexique?	Celle des MAYAS
2) * Quelle est la plus connue des autres civilisations amérindiennes qui ont marqué l'histoire du Mexique?	AZTÈQUE
3) Quel empire était établi au Pérou à l'arrivée des conquérants espagnols?	INCAS
4) Quel homme d'État du XIXe siècle a donné son nom à la Bolivie?	Simon BOLIVAR

LITTÉRATURE :

Question	Réponse
1) Qui est l'auteur des oeuvres suivantes: *La légende des siècles, Les Contemplations, Notre-Dame-de-Paris* et *Les Misérables*?	Victor HUGO
2) Combien de lieues sous les mers, le Nautilus de Jules Verne a-t-il parcourues?	20 000
3) Quel petit animal au long cou La Fontaine qualifie-t-il de *Dame au long corsage* dans une fable et de *Dame au nez pointu* dans une autre?	La BELETTE
4) À quel personnage de Cervantès appartenait le cheval nommé *Rossinante*?	DON QUICHOTTE

LE 7e ART :

Quel est le prénom de chacun des acteurs suivants :

Question	Réponse
1) Lancaster?	BURT
2) Schneider?	ROMY
3) Monroe?	MARILYN
4) Williams?	* ROBIN * ESTHER

Question	Réponse
FRANÇAIS :	
1) Combien y a-t-il de lettres dans l'alphabet français?	VINGT-SIX
2) * Quelle est la onzième?	" K "
3) Quelles sont les cinq formes du "E" dans la langue française?	* e * é * è * ê * ë
4) Quelles sont les six voyelles de l'alphabet français?	* A * E * I * O * U * Y
BIOLOGIE :	
1) Combien de pièces osseuses comprend le crâne humain?	HUIT
2) Quel est le principal organe de la voix?	Le LARYNX
3) Quelles macromolécules sont les plus essentielles pour construire et réparer les tissus du corps humain?	Les PROTÉINES
4) Comment appelle-t-on la première partie du petit intestin?	Le DUODÉNUM
ÉCONOMIE : *Quelle est l'unité monétaire de chacun des pays suivants* :	
1) de l'Australie?	Le DOLLAR australien
2) de la Suisse?	Le FRANC suisse
3) de la République populaire de Chine?	Le YUAN
4) d'Haïti?	La GOURDE

GÉOGRAPHIE :

Sur les bords de quel lac chacune des villes suivantes est-elle érigée :

	Question	Réponse
1)	Chicago?	MICHIGAN
2)	Kampala (capitale de l'Ouganda)?	VICTORIA
3)	Genève (en Suisse)?	LÉMAN
4)	Toronto?	ONTARIO

LITTÉRATURE :

	Question	Réponse
1)	Quel dramaturge anglais a écrit *Roméo et Juliette*?	SHAKESPEARE
2)	* Quel est le nom de famille de Roméo?	* MONTAIGUS * MONTÉGU
3)	* Et celui de Juliette?	CAPULET
4)	Quel écrivain britannique du XIXe siècle a combattu l'emprisonnement pour dettes?	Charles DICKENS

DIVERS :

Que représentent les sigles suivants :

	Question	Réponse
1)	C.I.A.?	CENTRAL INTELLIGENCE AGENCY
2)	M.F. (ou) F.M., pour la radio?	MODULATION DE FRÉQUENCE
3)	B.O.A.C.? : ... British Overseas...	AIRWAYS CORPORATION
4)	F.B.I.?	FEDERAL BUREAU of INVESTIGATION

FRANÇAIS :

Question	Réponse
1) Citez les deux verbes auxiliaires.	* AVOIR * ÊTRE
2) Combien y a-t-il de consonnes dans l'alphabet français?	VINGT
3) À quelle sorte de mot ajoute-t-on un adjectif qualificatif?	À un NOM
4) Mettez la phrase suivante à la forme passive : "La fortune aveugle l'homme".	L'HOMME EST AVEUGLÉ PAR LA FORTUNE

PHYSIQUE :

Question	Réponse
1) À quelle température atteint-on le zéro absolu?	-273,15°C -459,67°F
2) Quel physicien fut le premier à calculer le *zéro absolu*?	Louis GAY-LUSSAC
3) Si on fait augmenter la vitesse des particules constituant un corps, qu'est-ce qui s'élève?	Sa TEMPÉRATURE
4) Dans quelle échelle thermométrique, -273 ° C représente-t-il zéro degré?	KELVIN

MATHÉMATIQUES :
(calcul mental) N.B.: attendre le signal "*égale*" :

Question	Réponse
1) $2^2 - 3 - 1$ ...égale?	0
2) ($\sqrt{}^2$de 1) x 1 + 1 ...égale?	2
3) $(1^2 - 1) \times 100$ ...égale?	0
4) 999 + 99 ÷ 2 ...égale?	549

ÉCONOMIE :

	Question	Réponse
1)	En pays communistes, quel mot désignait les plans de cinq ans pour développer un secteur de l'économie?	QUINQUENNAUX
2)	Comment sont fixés les prix dans les pays capitalistes?	Selon l'OFFRE ET LA DEMANDE
3)	* comment l'étaient-ils dans les pays communis-tes?	PAR L'ÉTAT
4)	En pays communiste, comment le gouvernement pouvait-il facilement contrôler la consommation de certains produits?	* PAR LES PRIX * PAR UNE PÉNURIE ARTIFICIELLE

MUSIQUE CLASSIQUE :

	Question	Réponse
1)	Que joue-t-on au début d'un opéra?	L'OUVERTURE
2)	Durant les années 1980, qui fut le directeur musical de l'orchestre symphonique de Montréal?	Charles DUTOIT
3)	Qui est l'auteur de *Prélude à l'après-midi d'un faune*?	Claude DEBUSSY
4)	Quel compositeur américain est l'auteur de la musique des opérettes suivantes : *Oklahoma, The King and I, South Pacific* et *Carrousel*?	Richard RODGERS

ARTS :

De quelle nationalité était chacun des peintres suivants :

	Question	Réponse
1)	Pablo Picasso?	ESPAGNOLE
2)	Marc Chagall?	RUSSE (naturalisé français)
3)	Petrus Rubens?	FLAMANDE
4)	Cornelius Krieghoff?	ALLEMANDE

DIVERS :
De quel signe astrologique sont les personnes nées aux dates suivantes :

	Question	Réponse
1)	le 1er janvier?	CAPRICORNE
2)	le 1er juillet?	CANCER
3)	le 1er mai?	TAUREAU
4)	le 1er septembre?	VIERGE

HISTOIRE :
Dans quel pays se sont illustrés les personnages suivants :

	Question	Réponse
1)	Charlemagne (742-814)?	EMPIRE FRANC
2)	Abraham Lincoln (1809-1865)?	Aux ÉTATS-UNIS
3)	Jules César (101-44 av. J.-C.)?	La ROME antique
4)	Alexandre le Grand (356-323 av. J.-C.)?	En MACÉDOINE

RELIGION :

	Question	Réponse
1)	Dans l'Ancien Testament, qui considère-t-on comme le plus sage et le plus savant des hommes?	SALOMON
2)	Quelles sont les deux villes, près de la Mer Morte, qui furent détruites par le feu du Ciel?	* SODOME * GOMORRHE
3)	Quel "juste", habitant Sodome, fut sauvé par des anges, lors de la destruction de sa ville?	LOTH
4)	* Qu'arriva-t-il à son épouse lorsqu'elle se retourna, malgré l'interdiction des anges, pour regarder la destruction de la ville?	FUT CHANGÉE EN STATUE DE SEL

OLYMPISME :

En 1976, les jeux Olympiques d'été furent tenus à Montréal. Dans quelle ville eurent-ils lieu :

Question	Réponse
1) en 1972?	À MUNICH
2) en 1960?	À ROME
3) en 1968?	À MEXICO
4) en 1964?	À TOKYO

VOCABULAIRE :

4 ***noms*** *commençant par la lettre " H " :*

Question	Réponse
1) Celui qui joue du hautbois~~	HAUTBOÏSTE
2) Mouvement d'arrêt durant un voyage, une marche... Station où l'on s'arrête~~	HALTE
3) Marchand de plantes médicinales~~	HERBORISTE
4) Variété de coffre de bois pour entreposer le pain~~	HUCHE

LES INDICES D'UNE PERSONNALITÉ :

Indice	Réponse
A) Ecrivain et politicien français né en 1901, décédé en 1976.	André MALRAUX
B) Ministre des Affaires Culturelles de France, sous la présidence du général de Gaulle.	
C) Il était en Chine pendant la Révolution chinoise et en Espagne, pendant la Révolution espagnole.	
D) Ses principaux romans sont : *la Condition humaine, les Conquérants, l'Espoir* et *la Voie royale*.	

ÉCONOMIE :
Dans quel pays situez-vous la maison-mère de fabrique d'automobiles de marques suivantes :

	Question	Réponse
1)	la Fiat?	En ITALIE
2)	la Mercedes?	En ALLEMAGNE
3)	la Citroën?	En FRANCE
4)	la Volkswagen?	En ALLEMAGNE

GÉOGRAPHIE :
Sur les bords de quel océan ou de quelle mer sont érigées chacune des villes suivantes :

	Question	Réponse
1)	New York?	ATLANTIQUE
2)	San Francisco?	PACIFIQUE
3)	Marseille?	MÉDITERRANÉE
4)	Tokyo?	PACIFIQUE

LITTÉRATURE :

	Question	Réponse
1)	Qui a écrit les oeuvres suivantes : *Confessions* et *Julie ou la Nouvelle Héloïse*?	Jean-Jacques ROUSSEAU
2)	Quel écrivain, né à Aubagne (Midi de la France), est l'auteur de la trilogie : *Marius - Fanny - César*?	Marcel PAGNOL
3)	Quel poète du XIXe siècle alla jusqu'à imaginer que chaque voyelle a sa couleur : (*A* : noir, *E* : blanc, *I* : rouge, *O* : bleu, *U* : vert...) et que, par un dosage savant de celles-ci, on pourrait imposer aux yeux du lecteur, des tableaux colorés?	Arthur RIMBAUD
4)	Nommez l'un des deux plus grands écrivains francophones anticléricaux du XVIIIe siècle.	* ROUSSEAU * VOLTAIRE

INVENTEURS ET INVENTIONS :
Identifiez les inventeurs des appareils suivants :

	Question	Réponse
1)	le paratonnerre, en 1752?	FRANKLIN
2)	le thermomètre centigrade, en 1742?	CELSIUS
3)	la lunette astronomique, en 1609?	GALILÉE
4)	le baromètre, en 1643?	TORRICELLI

FRANÇAIS :

	Question	Réponse
1)	Comment nomme-t-on un mot de même prononciation qu'un autre, mais qui n'a pas le même sens, ni la même orthographe?	* HOMOPHONE * HOMONYME
2)	Epelez trois homonymes du mot "mer".	* MER * MÈRE * MAIRE
3)	Nommez les trois voyelles devant lesquelles on met une cédille à la lettre "C".	*A *O *U
4)	Quel liquide utilise-t-on lorsqu'on fait un traitement par hydrothérapie?	L'EAU

ZOOLOGIE :

	Question	Réponse
1)	Quels sont les seuls mammifères capables de voler naturellement?	Les CHAUVES-SOURIS
2)	Parmi les animaux bien connus, lequel ne peut prononcer aucun son?	La GIRAFE
3)	Nommez deux oiseaux palmipèdes.	* CANARD * MOUETTE * OIE * GOÉLAND * CYGNE...
4)	À quelle vitesse le manchot de l'hémisphère australe peut-il voler?	IL NE VOLE PAS

HISTOIRE :

	Question	Réponse
1)	Quelles sont les trois couleurs du drapeau des États-Unis?	* BLANC * BLEU * ROUGE
2)	* Que représentent les étoiles sur le fond bleu?	Les ÉTATS
3)	* Combien y a-t-il d'étoiles sur le drapeau des États-Unis?	CINQUANTE
4)	* Que symbolisent les lignes rouges et blanches?	LES TREIZE PREMIÈRES COLONIES

GÉOGRAPHIE :

Quel principal cours d'eau coule sur les bords de chacune des villes suivantes :

	Question	Réponse
1)	Rotterdam (Pays-Bas)?	Le RHIN
2)	Strasbourg (France)?	Le RHIN
3)	Montréal (Canada)?	Le ST-LAURENT
4)	New York (États-Unis)?	L'HUDSON

LITTÉRATURE :

	Question	Réponse
1)	Quel écrivain russe est l'auteur de *Crime et Châtiment?* (en 1866)	Fiodor DOSTOÏEVSKI
2)	* Lequel a écrit *Guerre et Paix*? (de 1865 à 1869)	Léon TOLSTOÏ
3)	Quel écrivain français a écrit, en 1918, les *Calligrammes*, un recueil de poésies?	Guillaume APOLLINAIRE
4)	Quel personnage fictif de la littérature américaine dormit durant vingt ans, puis revint dans son village?	RIP VAN WINKLE

EXPRESSIONS :

Chaque réponse contient le mot "coup" :

	Question	Réponse
1)	En sport, coup de pied d'engagement de la partie.	COUP D'ENVOI
2)	Conquête du pouvoir politique par des moyens illégaux.	COUP D'ÉTAT
3)	Sentiment amoureux inspiré subitement.	COUP DE FOUDRE
4)	Décision irréfléchie.	COUP DE TÊTE

GÉOGRAPHIE :

Quel nom donne-t-on aux habitants des pays suivants :

	Question	Réponse
1)	du Pérou?	PÉRUVIENS
2)	du Danemark?	DANOIS
3)	de la Suisse?	SUISSES
4)	de l'ancienne URSS?	SOVIÉTIQUES

FRANÇAIS :

Corrigez les erreurs dans les phrases suivantes :

	Question	Réponse
1)	Ces livres coûtent trois dollars *chaque*.	CHACUN
2)	C'est de vous *dont* il s'agit.	QU'IL
3)	Elle va *droite* au but.	DROIT
4)	Nous sommes dans *un* impasse.	UNE

BIOLOGIE :

Question	Réponse
1) Par l'action du Soleil, quelle vitamine est transformée et accumulée dans notre organisme?	" D "
2) Quelle est la glande dont le mauvais fonctionnement cause le diabète?	Du PANCRÉAS
3) Quel nom donne-t-on à la personne affectée de l'anomalie de la vision des couleurs?	DALTONIENNE
4) Par quel mot désigne-t-on l'arrêt de la respiration causé par un manque d'oxygène?	ASPHYXIE

MATHÉMATIQUES :
(Calcul mental) :N.B. : attendre le signal *égale* :

Question	Réponse
1) 2 X 7 + 5 - 17 X 4 + 22 ÷ 6... *égale*?	5
2) 1 - 13 X 2 ÷ 8 + 17 X 2 ÷ 7... *égale*?	4
3) 2,5 X 4 X 3,3 ÷ 11 - 12... *égale*?	-9
4) √² de : (22 - 3 X 4 ÷ 2 - 2)... *égale*?	6

ÉCONOMIE :
Les coopératives :

Question	Réponse
1) Les profits des coopératives sont répartis selon la valeur des activités de chacun. Quel mot désigne cette répartition?	Au PRORATA
2) Sous quelle forme chaque coopérateur reçoit-il ses bénéfices?	RISTOURNE
3) Combien de parts (sociales) peut acheter un coopérateur?	Quantité ILLIMITÉE
4) Si le coopérateur a dix parts, combien a-t-il de votes?	UN seul

MUSIQUE CLASSIQUE :

	Question	Réponse
1)	Qui est l'auteur de *la Damnation de Faust* et de la *Symphonie fantastique*?	BERLIOZ
2)	* Donnez son prénom.	HECTOR
3)	* Quelle est sa nationalité?	FRANÇAISE
4)	* À quel siècle a-t-il vécu?	XIXe (1803-1869)

ARTS :

Dans quel domaine se sont illustrés les artistes suivants :

	Question	Réponse
1)	Lily Pons?	OPÉRA
2)	Sarah Bernhardt?	THÉÂTRE
3)	Enrico Caruso?	OPÉRA
4)	Louis Jouvet?	* THÉÂTRE * CINÉMA

DIVERS :

	Question	Réponse
1)	En janvier 1889, l'archiduc Rodolphe, héritier au trône d'Autriche-Hongrie, se suicida avec sa maîtresse Marie Vetsera dans le pavillon royal de chasse. Le nom de ce pavillon porte le titre d'un film tourné avec Omar Shariff et Catherine Deneuve. Quel est-il?	MAYERLING
2)	De quel pays le jeu d'échecs est-il originaire?	De l'INDE
3)	Quel architecte français a conçu le Stade olympique de Montréal?	Roger TAILLIBERT
4)	Quel navire fit naufrage au large de Terre-Neuve dans la nuit du 14 au 15 avril 1912?	Le TITANIC

RELIGION :

Question	Réponse
1) L'Église fête, au début de janvier, saint Gaspar. Qui était ce célèbre voyageur?	L'un des 3 ROIS MAGES
2) * Quel était le nom de chacun des deux autres voyageurs?	* MELCHIOR * BALTHAZAR
3) Dans le songe de Joseph, combien y avait-il de vaches maigres et de grasses?	* 7 MAIGRES * 7 GRASSES
4) Quelle mer les Hébreux traversèrent-ils à leur sortie d'Égypte?	La mer ROUGE

LES INDICES D'UNE PERSONNALITÉ :

Indice	Réponse
A) Il fut élu Président du Chili, en 1970.	Salvador ALLENDE
B) Il sut maintenir durant trois ans le premier gouvernement socialiste-communiste à être élu démocratiquement de par le monde.	
C) Il est mort le 11 septembre 1973, à la suite d'un coup d'État fomenté par l'armée.	
D) Le général Augusto Pinochet le remplaça à la tête du pays.	

LE 7e ART :

Le scénario du film *Sound Of Music* (*La Mélodie du Bonheur*) se déroule durant les années précédant la Seconde guerre :

Question	Réponse
1) Dans quel pays cette histoire fut-elle vécue?	En AUTRICHE
2) De quelle famille noble est-il question?	VON TRAPP
3) Vers quel pays cette famille s'enfuit-elle pour y demeurer en permanence, après l'Anschlauss (union de l'Autriche à l'Allemagne), en mars 1938?	ÉTATS-UNIS (au Vermont)
4) L'une des principales chansons de cette comédie musicale fait l'éloge d'une fleur typique aux Alpes autrichiennes. Nommez cette fleur.	*EDELWEISS*

GÉOGRAPHIE :
Quel cours d'eau traverse :

1)	Lisbonne?	Le TAGE
2)	Rome?	Le TIBRE
3)	Budapest?	Le DANUBE
4)	Washington?	Le POTOMAC

HISTOIRE :
Henri VIII :

1)	Combien d'épouses Henri VIII a-t-il eues?	SIX
2)	* Qui lui refusa le divorce d'avec sa première femme, l'emmenant à fonder l'Anglicanisme, secte protestante, et à se proclamer chef suprême de cette Église?	* Le PAPE * CLÉMENT VII
3)	* Un film mettant en vedette Richard Burton et la Québécoise Geneviève Bujold raconte les *mille jours* de la seconde épouse d'Henri VIII. Nommez celle-ci.	Anne BOLEYN
4)	* Quelle fille d'Henri VIII et d'Anne Boleyn régna sur l'Angleterre?	ÉLISABETH 1ère

LITTÉRATURE :
Donnez le prénom de chacun des écrivains français suivants :

1)	Rostand.	* EDMOND * JEAN
2)	Bergson.	HENRI
3)	France.	ANATOLE
4)	Péguy.	CHARLES

VOCABULAIRE :

	Question	Réponse
1)	Quel qualificatif attribue-t-on à celui qui a la manie de voler par impulsion pathologique?	* CLEPTOMANE * KLEPTOMANE
2)	Comment qualifie-t-on une personne qui parle plusieurs langues?	POLYGLOTTE
3)	Quel nom donne-t-on à celui qui a la manie de mettre le feu?	PYROMANE
4)	Quel nom de six lettres désigne le mieux une raillerie, une plaisanterie faisant entendre le contraire de ce qu'on dit?	IRONIE

BIOLOGIE-MÉDECINE :

	Question	Réponse
1)	Comment appelle-t-on l'étude de la vieillesse chez les humains?	GÉRONTOLOGIE
2)	Dans quelle partie du corps humain se trouve le plus petit os?	Dans l'OREILLE
3)	Comment appelle-t-on la couche extérieure de la peau?	ÉPIDERME
4)	Lorsqu'une personne meurt debout, dans quelle direction tombe-t-elle?	AVANT

DIVERS :

Plusieurs chansons populaires des années '50 et '60 mentionnent certaines villes ou régions italiennes. Dans quelle chanson est-il fait mention :

	Question	Réponse
1)	* d'une île où l'on ne veut plus revenir?	*CAPRI, C'EST FINI*
2)	* d'une ville à laquelle on dit *Au Revoir*?	*ARRIVEDERCI ROMA*
3)	* de la fontaine de Trévi, à Rome, dans laquelle on jette trois pièces de monnaie, dans l'espoir qu'un voeu sera exaucé?	*THREE COINS IN THE FOUNTAIN*
4)	* de la lune au-dessus d'une ville italienne?	*MOON OVER NAPLES*

GÉOGRAPHIE :

	Question	Réponse
1)	En 1917, la Vierge apparut à trois enfants. Près de quelle ville ces apparitions eurent-elles lieu?	FATIMA
2)	* Dans quel pays situez-vous cette ville?	Au PORTUGAL
3)	Dans quelle région du territoire italien, l'Etna, célèbre volcan, est-il situé?	* SUD-OUEST * En SICILE
4)	Quel fleuve d'Europe draine l'Autriche d'ouest en est?	Le DANUBE

LITTÉRATURE :

Littérature française :

	Question	Réponse
1)	Complétez la morale de la fable de La Fontaine *Les animaux malades de la peste* : "Selon que vous serez puissant ou misérable, les jugements de cour vous rendront..."?	BLANC OU NOIR
2)	Quel était le nom de plume de Jean-Baptiste Poquelin?	MOLIÈRE
3)	Quel Français a écrit une série de romans sous le titre de *la Comédie humaine*?	Honoré de BALZAC
4)	Sous quel nom d'auteur Alphonse Prat écrivait-il?	LAMARTINE

DIVERS :

Alpinisme :

	Question	Réponse
1)	En quelle année a-t-on conquis le sommet du mont Everest pour la première fois?	En 1953
2)	* Qui dirigeait l'expédition?	Sir Edmund HILLARY
3)	* De quel pays cet alpiniste est-il originaire?	La NOUVELLE-ZÉLANDE
4)	En alpinisme, comment nomme-t-on le procédé de la corde double récupérable?	Le RAPPEL

FRANÇAIS :
Corrigez les phrases suivantes :

1)	Cet officier est aimé *par* ses soldats.	DE
2)	*Alentour* de la maison.	AUTOUR
3)	Rouler *en* bicyclette.	À
4)	On trouva son cadavre *inanimé*.	RAYER : *INANIMÉ*

BOTANIQUE :

1)	De quel arbuste tire-t-on la cocaïne?	Du COCA
2)	* Quelle partie de l'arbuste est utilisée à cette fin?	La FEUILLE
3)	De quelle plante tire-t-on l'opium?	Du PAVOT
4)	Qu'est-ce qui donne la couleur verte aux plantes, aux feuilles...?	La CHLOROPHYLLE

MATHÉMATIQUES :
Donnez la valeur de "x" dans les équations suivantes :

1)	$x + 2 = 2x - 1$	TROIS
2)	$x - 4 = 3x - 24$	DIX
3)	$x + 13 = 3x + 3$	CINQ
4)	$2x + 2 = 3x - 2$	QUATRE

ÉCONOMIE :

	Question	Réponse
1)	Dans l'entreprise privée, l'actionnaire qui a dix *parts* ou *actions* a droit à combien de votes?	DIX
2)	Que fait une coopérative de la partie des profits qu'elle ne retourne pas aux sociétaires?	* CAPITALISÉS * EN RÉSERVE
3)	Complétez la phrase : "Dans les coopératives, les ventes se font au prix de détail du..."?	MARCHÉ
4)	Quel est le but premier de l'entreprise libre (ou privée)?	FAIRE DES PROFITS

MUSIQUE CLASSIQUE :

	Question	Réponse
1)	Quel compositeur autrichien a écrit la Symphonie numéro 8 en si mineur, appelée l'*Inachevée*?	Franz SCHUBERT
2)	Quel Italien a composé l'opéra *Rigoletto*?	Giuseppe VERDI
3)	Quel Autrichien a fait *Don Giovanni* (Don Juan)?	Amadeus MOZART
4)	Nommez l'Allemand, auteur de *Tristan et Isolde*.	Richard WAGNER

ARTS :

	Question	Réponse
1)	Quel artiste a peint les célèbres scènes de la Création à la voûte de la chapelle Sixtine, à Rome?	MICHEL-ANGE
2)	Quel célèbre artiste néerlandais du XVIIe siècle s'est peint lui-même dans de nombreuses expressions ainsi qu'à l'intérieur de groupes?	REMBRANDT
3)	En art, quelle période a suivi immédiatement la période archaïque?	La période CLASSIQUE
4)	De quelle nationalité était Michel-Ange?	ITALIENNE

GÉOGRAPHIE :
De quel pays chacune de ces bières est-elle originaire :

	Question	Réponse
1)	Tuborg?	DANEMARK
2)	Guinness?	* IRLANDE * GRANDE-BRETAGNE
3)	Carlsberg?	DANEMARK
4)	Champigneulles?	FRANCE

HISTOIRE :
L'Angleterre :

	Question	Réponse
1)	Au XVIe s., elle fut reine d'Écosse et même de France, en 1559-1560. Élisabeth 1ère la condamna en 1586 et elle fut exécutée en 1587. Nommez-la.	M. 1ère STUART
2)	Quelle reine régna sur son royaume durant 64 ans, de 1837 à 1901?	VICTORIA
3)	L'amiral anglais Horatio Nelson remporta une importante victoire navale en 1805. Où cette bataille eut-elle lieu?	TRAFALGAR
4)	* Aux dépens de quelles deux flottes réunies?	* FRANÇAISE * ESPAGNOLE

VOCABULAIRE :
*4 **noms** commençant par la lettre " M " :*

	Question	Réponse
1)	Troupe de petits enfants~~ Se dit communément de l'ensemble des jeunes enfants d'une famille~~	MARMAILLE
2)	Lac de bordure entre la Suisse et l'Italie~~	MAJEUR
3)	Puissant capitaliste~~ Personnalité importante du monde des affaires, de l'industrie, des finances, de la presse~~	MAGNAT
4)	Origan~~ Plante aromatique utilisée en cuisine~~ Prénom féminin~~	MARJOLAINE

RELIGION :

1)	Quel géant David tua-t-il grâce à sa fronde?	GOLIATH
2)	Selon la Genèse, pourquoi Seth n'a jamais pu connaître son grand-père?	FILS D'ADAM ET ÈVE
3)	L'origine du rameau d'olivier comme symbole de la paix nous vient de l'Ancien Testament. Quel personnage biblique le reçut?	NOÉ
4)	* Suite à quel événement Dieu lui fit-il parvenir ce symbole?	Le DÉLUGE

OLYMPISME :

Quelle ville accueillit les Jeux d'hiver :

1)	de 1976?	INNSBRUCK
2)	de 1972?	SAPPORO
3)	de 1968?	GRENOBLE
4)	de 1964?	INNSBRUCK

LES INDICES D'UNE PERSONNALITÉ :

A)	Ma célébrité date de l'époque de la *prohibition*, aux États-Unis.	Al CAPONE
B)	Né à Naples en 1899, je suis mort à Miami, en 1947.	
C)	C'est dans la ville de Chicago que je fus particulièrement actif.	
D)	J'étais un gangster, chef de bande, connu mondialement.	

ÉCONOMIE :

Les monnaies :

Quel mot désigne :

Question	Réponse
1) * l'opération de la fabrication des monnaies?	La FRAPPE
2) * l'envers (opposé au côté face) d'une pièce de monnaie?	* PILE * REVERS
3) * la représentation ou l'image d'une personne sur une pièce de monnaie?	EFFIGIE
4) * l'opération qui consiste à échanger la monnaie d'un pays contre une monnaie étrangère?	CHANGE

GÉOGRAPHIE :

Nommez la capitale de chacun des pays suivants :

Question	Réponse
1) Guatemala?	GUATEMALA
2) Irak?	BAGDAD
3) Argentine?	BUENOS AIRES
4) Autriche?	VIENNE

LITTÉRATURE :

Question	Réponse
1) Sous quel pseudonyme l'écrivain Romain Gary a-t-il signé plusieurs de ses oeuvres?	Émile AJAR
2) André Malraux écrivit *l'Espoir* en 1937. Quelle guerre civile constitue le scénario de ce roman?	D'ESPAGNE
3) * Malraux participa à cette guerre avec l'armée républicaine. Quel rôle y occupait-il?	AVIATEUR
4) Quel oiseau symbolise le poète, selon Musset ou Baudelaire?	M =Le PÉLICAN B = L'ALBATROS

DIVERS :

Astrologie chinoise :

	Question	Réponse
1)	Nommez trois des six animaux de cette astrologie dont le nom commence par la lettre "C".	*CHEVAL *CHIEN *CHAT *COCHON *COQ *CHÈVRE
2)	* l'un des deux dont le nom commence par la lettre "S".	* SINGE * SERPENT
3)	* un dont le nom commence par la lettre "R" ou "B".	* BOEUF * RAT
4)	* Des douze animaux de cette astrologie, il en reste deux : l'un commence par la lettre "T" et l'autre par "D". Identifiez-en un.	* TIGRE * DRAGON

FRANÇAIS-VOCABULAIRE :

	Question	Réponse
1)	Donnez l'adjectif antonyme de *subjectif*.	* OBJECTIF * IMPARTIAL
2)	Qu'entend-on par *la gent trotte-menu*?	Les SOURIS
3)	Quel qualificatif désigne le mieux un événement *qui a lieu durant la nuit*?	NOCTURNE
4)	Quel mot désigne un long tuyau dans lequel on souffle pour lancer des petits projectiles?	SARBACANE

BIOLOGIE :

	Question	Réponse
1)	Dans quelle partie du corps est situé l'os le plus long chez l'humain?	La CUISSE
2)	* Nommez cet os.	Le FÉMUR
3)	* Le médecin légiste mesure cet os d'un squelette pour trouver la grandeur de la personne dont il fait l'autopsie. Quelle fraction représente le rapport entre les deux?	2 / 7e
4)	Quel est le nom véritable de la *palette* du genou?	ROTULE

DIVERS :

Astrologie :

De quel signe astrologique sont les personnes nées aux dates suivantes :

	Question	Réponse
1)	* le 31 octobre?	SCORPION
2)	* le 31 juillet?	LION
3)	* le 31 janvier?	VERSEAU
4)	* le 30 septembre?	BALANCE

GÉOGRAPHIE :

Sur les rives de quel principal cours d'eau sont érigées chacune des villes suivantes :

	Question	Réponse
1)	Londres?	La TAMISE
2)	Paris?	La SEINE
3)	Berlin?	Le SPREE
4)	Ottawa?	OUTAOUAIS

HISTOIRE :

	Question	Réponse
1)	Quel célèbre Romain a prononcé ces paroles : "Alea jacta est !"?	Jules CÉSAR
2)	Dans quelle ville de l'Antiquité étaient situés *les jardins suspendus*..., l'une des Sept Merveilles du monde?	BABYLONE
3)	Quel volcan a enseveli Herculanum et Pompéi en l'an 79 de notre ère?	Le VÉSUVE
4)	Selon la légende, qui inventa l'école vers l'an 800?	CHARLEMAGNE

LITTÉRATURE :

Donnez le prénom de chacun des écrivains français suivants:

1)	Maurois.	ANDRÉ
2)	Saint-John Perse.	ALEXIS
3)	Simenon.	GEORGES
4)	Giono.	JEAN

GÉOGRAPHIE :

Par la philatélie :

1)	Quel nom identifie les timbres de la Suisse?	HELVETIA
2)	Quelles deux lettres identifient la France, sur les timbres?	R F
3)	* Lesquelles identifiaient l'U.R.S.S.?	C C C P
4)	Dans la langue du pays, quel mot désigne les Pays-Bas?	NEDERLAND

FRANÇAIS :

Quel est le féminin de :

1)	empereur?	IMPÉRATRICE
2)	bouc?	CHÈVRE
3)	professeur?	PROFESSEURE
4)	défendeur?	DÉFENDERESSE

ZOOLOGIE :

	Question	Réponse
1)	Quelle est l'unique rôle de la reine dans une colonie d'abeilles?	* La PONTE * La REPRODUCTION
2)	Quel oiseau ne sait pas construire un nid et fait couver ses oeufs par d'autres oiseaux?	* Le COUCOU * Le VACHER
3)	Quel mammifère, presque aveugle, peut manger plus que son propre poids, en 24 heures?	La TAUPE
4)	Quel animal pond des oeufs ayant la propriété d'augmenter de volume après avoir été pondus?	Le SERPENT

VOCABULAIRE :

*4 **noms** commençant par la lettre " P " :*

	Question	Réponse
1)	Mot signifiant : Nom de famille~~	PATRONYME
2)	Soldat de service, sans arme, affecté auprès d'un officier, ou, assurant des liaisons utiles~~	PLANTON
3)	Chaise ou litière à porteurs, utilisée autrefois en Chine~~ Chaise légère placée sur le dos d'un chameau ou d'un éléphant~~	PALANQUIN
4)	Quel mot a un rapport de sens avec les deux mots suivants : *sommet* et *pioche*~~	PIC

MATHÉMATIQUES :

	Question	Réponse
1)	$(27 \times 3 \div 9)^2 =$	81
2)	Quelle est la valeur de "x" dans l'équation suivante : $2x^2 = 50$	5
3)	La somme de deux côtés d'un triangle équilatéral vaut 50. Quelle est la valeur de l'autre côté?	25
4)	Que vaut la racine cubique de 3 au cube?	3

ÉCONOMIE :

Identifiez le genre de marché selon les caractéristiques suivantes :

	Question	Réponse
1)	Plusieurs acheteurs, un seul vendeur.	MONOPOLE
2)	Les acheteurs et les vendeurs fixent leurs prix en toute liberté.	CONCURRENCE
3)	Plusieurs acheteurs, seulement quelques gros vendeurs.	OLIGOPOLE
4)	Les épiceries et les grands magasins s'y retrouvent.	CONCURRENCE MONOPOLISTIQUE

MUSIQUE CLASSIQUE :

Identifiez le compositeur de chacune des oeuvres suivantes:

	Question	Réponse
1)	*Faust*.	GOUNOD
2)	*Humoresque*.	DVORAK
3)	*Manon Lescaut*.	PUCCINI
4)	*Chant Hindou*.	RIMSKI-KORSAKOV

ARTS :

	Question	Réponse
1)	Nommez deux des cinq principaux artistes, décorateurs de la chapelle Sixtine.	* MICHEL-ANGE * BOTTICELLI * Le PÉRUGIN * GHIRLANDAJO
2)	* un troisième.	* SIGNORELLI
3)	Nommez l'un des deux principaux types d'architectures utilisés dans la construction des cathédrales, au Moyen Âge.	* ROMAN * GOTHIQUE
4)	Comment appelle-t-on une pièce mimée?	PANTOMIME

ESPACE :

Question	Réponse
1) Le premier vaisseau spatial en orbite autour de la Terre fut lancé un 4 octobre. Dites-en l'année.	En 1957
2) * Quel pays le lança?	L'URSS
3) * Quel nom les Soviétiques lui donnèrent-ils?	SPOUTNIK I
4) Le second vaisseau spatial soviétique transportait un animal. Identifiez cet animal par son nom <u>ou</u> par son espèce.	La CHIENNE *LAÏKA*

RELIGION :

Question	Réponse
1) Dans l'Ancien Testament, qui fut le successeur de Saül?	DAVID
2) Quel Hébreu reçut les *dix commandements* de Dieu?	MOÏSE
3) * Sur quel mont lui furent-ils transmis?	SINAÏ
4) De quel mont Moïse aperçut-il la Terre promise, avant de mourir?	NÉBO

OLYMPISME :

Question	Réponse
1) Quel animal servit de mascotte aux Jeux de Montréal, en 1976?	Le CASTOR
2) En vigueur de 1932 à 1968, le 88 mètres haies chez les dames fut remplacé par quelle distance à partir de 1972?	Le 100 MÈTRES HAIES
3) Quel nom donne-t-on au traîneau de compétition olympique?	LUGE
4) Quel pays représentait Katarina Witt qui remporta la médaille d'or en patinage artistique aux Jeux de Sarajevo et ceux de Calgary?	L'ALLEMAGNE de l'Est

	LES INDICES D'UNE PERSONNALITÉ :	
A)	Je suis né à New York le 5 novembre 1938 et décédé le 21 août 1980, à Papeete, Tahiti.	Joe DASSIN
B)	Ma mère était américaine. Mon père, Jules, Américain d'origine française, était metteur en scène à Hollywood.	
C)	J'ai joué dans deux films mais je suis mieux connu comme chanteur-compositeur.	
D)	Quelques-unes de mes principales chansons : *l'Été indien, les Jardins du Luxembourg, Si tu t'appelles Mélancolie, Les Champs-Élysées...*	
	DIVERS :	
1)	De quelle région d'Italie provient un marbre considéré comme l'un des plus beaux du monde.	CARRARE
2)	En 1997, quel pays est le premier producteur d'automobiles du monde?	Le JAPON (2e=É-U)
3)	Aux échecs, quel mouvement permet au joueur de bouger deux pièces tout en ne jouant qu'un seul coup?	Le ROQUE
4)	Quel est le pays natal de la chanteuse Nana Mouskouri?	La GRÈCE
	GÉOGRAPHIE : *Sur les bords de quel océan, ou quelle mer, sont érigées chacune des villes suivantes* :	
1)	Rio de Janeiro?	ATLANTIQUE
2)	Vladivostok?	PACIFIQUE
3)	Hongkong?	MER DE CHINE
4)	Miami?	ATLANTIQUE

HISTOIRE :

1) Quelle civilisation a apporté à l'Occident le droit civil et la participation du citoyen à la vie de l'État? | * GRECQUE * HELLÉNIQUE

2) Dans la Grèce antique, quelle était l'activité principale d'Euclide? | MATHÉMATICIEN

3) Selon la légende, qui fonda Rome? | ROMULUS

4) Quel amphithéâtre de Rome fut commandé par Vespasien, mais terminé sous le règne de son fils Titus, en l'an 80? Il pouvait recevoir plus de cinquante mille spectateurs. | Le COLISÉE

LITTÉRATURE :

1) Quel Français se mérita le prix Nobel de littérature en 1964, mais le refusa? | Jean-Paul SARTRE

2) Donnez l'infinitif du verbe *cherra* dans :"tire la chevillette et la bobinette *cherra*", de l'histoire *le Petit Chaperon rouge*. | CHOIR

3) De quel pays est natif l'auteur dramatique Eugène Ionesco? | ROUMANIE

4) Bram Stoker, écrivain irlandais, a créé la légende d'un comte, vampire vivant en Roumanie. De quel personnage s'agit-il? | DRACULA

LE 7e ART :

1) Pour quel film a-t-on écrit *la Chanson de Lara*? | *DOCTEUR JIVAGO*

2) * Dans quel pays le scénario de ce film se déroule-t-il? | En RUSSIE

3) Quel nom portent les trophées attribués chaque année, à Hollywood, pour souligner le travail du meilleur acteur, meilleure actrice, meilleure mise en scène... ? | OSCARS

4) Le film choisi comme meilleur de l'année 1979 raconte l'histoire d'un père divorcé et de son fils. Quel en est le titre? | *KRAMER vs. KRAMER*

VOCABULAIRE :
Quelle science traite :

	Question	Réponse
1)	de statistiques des collectivités humaines?	DÉMOGRAPHIE
2)	des milieux biologiques?	ÉCOLOGIE
3)	de l'art culinaire?	GASTRONOMIE
4)	des origines des familles?	GÉNÉALOGIE

SCIENCES GÉNÉRALES :
Énergie :

	Question	Réponse
1)	Quelle fut la première source d'énergie industrielle?	CHARBON (vapeur)
2)	* la seconde?	ÉLECTRICITÉ
3)	Quelles sont les deux plus importantes formes d'énergie développées et utilisées au XXe siècle?	* PÉTROLE * NUCLÉAIRE
4)	Nommez deux nouvelles sources d'énergie utilisées, mais dont la forme d'exploitation reste à améliorer.	* SOLAIRE * ÉOLIENNE * MARÉMOTRICE *GÉOTHERMIQUE

GÉOGRAPHIE :

	Question	Réponse
1)	Nommez le pays le plus étroit du monde par rapport à sa longueur et sa superficie.	Le CHILI
2)	Avec ses 82 700 km², quel est le plus grand lac d'eau douce du monde?	SUPÉRIEUR (Canada / É-U)
3)	Quelle est la plus grande île des Antilles?	CUBA
4)	Nommez l'un des deux pays auxquels touche le lac Titicaca.	* BOLIVIE * PÉROU

LITTÉRATURE :

1)	Quel titre de noblesse avait Monte-Cristo?	COMTE
2)	* Quel était son nom véritable?	Edmond DANTES
3)	* Dans quelle prison, au large de Marseille, fut-il interné?	Du CHÂTEAU D'IF
4)	* Qui est l'auteur de ce roman?	Alexandre DUMAS (père)

DIVERS :

1)	Quel signe du zodiaque est le seul à ne pas être représenté par une figure humaine ou animale?	BALANCE
2)	Quel insecte est un *frelon*?	Une grosse GUÊPE
3)	Dans quelle ville les quotidiens suivants sont-ils publiés? : *Le Monde, Le Figaro, Le Parisien Libéré* et *France-Soir*.	PARIS
4)	Nommez le fruit dont les graines sont à l'extérieur.	La FRAISE

PROVERBES :

Complétez les proverbes suivants :

1)	Il y a loin de la coupe... ?	AUX LÈVRES
2)	Le jeu ne vaut pas... ?	LA CHANDELLE
3)	Il faut que jeunesse... ?	SE PASSE
4)	Si jeunesse savait, ...?	SI VIEILLESSE POUVAIT

SCIENCES GÉNÉRALES :

Question	Réponse
1) Quel astronome, né en 1473, décédé en 1543, a proclamé que le Soleil était le centre de notre système (solaire)?	Nicolas COPERNIC
2) Quel médecin (1578-1657) a, le premier, établi les règles de la circulation du sang?	William HARVEY
3) Quel célèbre savant émit la première théorie de la relativité en 1905?	Albert EINSTEIN
4) Quel scientifique allemand, chassé de son pays par Hitler, est reconnu comme le principal instigateur de la mise au point de la bombe atomique par sa publication des théories sur la relativité?	Albert EINSTEIN

MATHÉMATIQUES :

Question	Réponse
1) Comment nomme-t-on deux angles ayant un même sommet, un côté commun, et situés de part et d'autre de ce côté commun?	Angles ADJACENTS
2) Comment écrit-on deux mille en chiffres romains?	MM
3) Comment nomme-t-on une équation dont la variable apparaît sous un radical réduit?	IRRATIONNELLE
4) Si mille dollars, en billets de banque de un dollar, pèsent 2,5 kg, combien pèseront un million de dollars, en billets de banque de mille dollars?	2,5 kg

ÉCONOMIE :

Question	Réponse
1) Quels sont les deux domaines où, aujourd'hui encore, s'applique le marché de concurrence?	* BOURSE * MARCHÉS AGRICOLES
2) Combien de firmes desservent un marché dit... à monopole?	UNE seule
3) En démographie, comment appelle-t-on le nombre annuel de naissances par mille habitants?	Le TAUX DE NATALITÉ
4) Qu'impose un pays pour protéger sa production nationale contre celles des autres pays?	DOUANE

MUSIQUE CLASSIQUE :

	Question	Réponse
1)	Nommez l'opéra de Verdi dont le titre, en italien, signifie *La Dévoyée*.	*LA TRAVIATA*
2)	Dans quelle ville italienne peut-on assister à un concert à la *La Scala*?	MILAN
3)	Quel musicien autrichien joua du clavecin dès l'âge de trois ans et, à quatre ans, écrivit un concerto pour cet instrument?	MOZART
4)	Dans quelle ville est situé le célèbre *Carnegie Hall*?	NEW YORK

GÉOGRAPHIE :

De quel pays est originaire chacune des eaux-de-vie suivantes :

	Question	Réponse
1)	le scotch?	ÉCOSSE
2)	le calvados?	FRANCE
3)	le rhum?	CUBA
4)	le gin (genièvre)?	PAYS-BAS (Hollande)

ARTS :

	Question	Réponse
1)	Au Louvre, on peut admirer une oeuvre intitulée *Scènes des massacres de Scio*. Dites quel artiste français l'a peinte en 1824.	Eugène DELACROIX
2)	Quel célèbre monument égyptien représente un monstre fabuleux à corps de lion et à tête humaine?	Le SPHINX
3)	Dans quel domaine Auguste Renoir s'est-il illustré?	En PEINTURE
4)	* et *Le Corbusier*?	En ARCHITECTURE

	DIVERS :	
	Les vins :	
	Comment appelle-t-on :	
1)	les champs de vignes?	VIGNOBLES
2)	ceux qui les cultivent?	VIGNERONS
3)	la saison de la cueillette des raisins?	VENDANGES
4)	ceux qui produisent des vins à des fins commerciales?	VITICULTEURS
	HISTOIRE :	
1)	Dans la Grèce Antique, quelle était l'occupation principale de Socrate?	PHILOSOPHIE
2)	* Comment est-il mort?	EMPOISONNÉ (ciguë)
3)	* Quel philosophe a raconté la mort de Socrate?	PLATON
4)	Reconnu comme l'un des plus grands orateurs de l'Antiquité grecque, il bégayait. Afin de surmonter ce handicap, il s'exerça à parler la bouche remplie de cailloux. Qui est-il?	DÉMOSTHÈNE
	RELIGION :	
1)	Quel personnage biblique aurait vécu le plus longtemps, soit 969 ans?	MATHUSALEM
2)	Quel personnage biblique était riche, perdit tout, et redevint prospère?	JOB
3)	Quelle tour fut construite en guise de protection contre un éventuel second déluge?	BABEL
4)	Quel personnage biblique possédait une force herculéenne grâce à ses longs cheveux?	SAMSON

OLYMPISME :

Question	Réponse
1) Quel pays européen termina premier aux Jeux d'hiver de Lake Placid, en 1980?	L'ALLEMAGNE DE L'EST
2) * lequel arriva second?	L'U.R.S.S. (É-U = 3^{e})
3) Aux Jeux olympiques d'été de 1980, quatre sports de combat étaient inscrits. Nommez-en deux.	* BOXE * JUDO * LUTTE
4) * Un troisième...	* ESCRIME

LES INDICES D'UNE PERSONNALITÉ :

Indice	Réponse
A) Je fus Président des États-Unis de 1860 à 1865.	Abraham LINCOLN
B) Je combattis l'esclavagisme dans mon pays, ce qui entraîna la guerre civile (la guerre de Sécession).	
C) L'effigie des pièces de monnaie de un cent de mon pays me représente.	
D) Je fus tiré par un Sudiste le 14 avril 1865 et mourut le lendemain matin..	

GÉOGRAPHIE :

Sur les bords de quelle mer ou de quel océan est érigée chacune des villes suivantes :

Question	Réponse
1) Naples?	TYRRHÉNIENNE
2) Vancouver?	PACIFIQUE
3) Sébastopol?	Mer NOIRE
4) La Havane?	ATLANTIQUE

LITTÉRATURE :

À quelle collection, ou quel roman, associe-t-on chaque personnage suivant :

	Question	Réponse
1)	D'Artagnan?	LES TROIS MOUSQUETAIRES
2)	Bill Ballantine?	BOB MORANE
3)	Hercule Poirot?	Policiers d'Agatha CHRISTIE
4)	Le docteur Watson?	SHERLOCK HOLMES

LE 7e ART :

Sous quel nom connaissons-nous mieux chacun des acteurs suivants :

	Question	Réponse
1)	Richard Jenkins?	Richard BURTON
2)	Sofia Scicolone?	Sophia LOREN
3)	Shirley MacLean-Beaty?	Shirley MacLAINE
4)	Leslie Townes-Hope?	Bob HOPE

FRANÇAIS :

	Question	Réponse
1)	Quel nom donne-t-on à un recueil de pièces choisies d'oeuvres littéraires ou musicales?	ANTHOLOGIE
2)	Corrigez la phrase suivante : "Aller en campagne durant ses vacances d'été."	Aller À LA...
3)	Dans la phrase suivante, il y a un pléonasme. Dites quel mot il faut retrancher : "Cette semaine, à la Place Bonaventure, le premier prototype de cette voiture attire bon nombre de visiteurs."	PREMIER
4)	Corrigez la phrase suivante : "Cinq à six étudiants ont obtenu 100%."	5 OU 6

BIOLOGIE :

Les dents :

1) Nommes deux des quatre groupes de dents que possède l'être humain. | * INCISIVES
* CANINES
* PRÉMOLAIRES
* MOLAIRES

2) De quel élément chimique nécessaire pour les os et les dents, le lait est-il riche? | En CALCIUM

3) Quel nom porte le dépôt salivaire calcifié qui s'amasse à la base des dents? | TARTRE

4) Quel nom désigne les plus grosses dents chez l'humain? | MOLAIRES

DIVERS :

1) Quel pays est le plus grand producteur d'huile d'olive au monde? | L'ESPAGNE

2) Lorsqu'un volcan dort depuis des millénaires, que se forme-t-il parfois dans le cratère, à son sommet? | Un LAC

3) Quel mot, commençant par la lettre "L", désigne un réseau compliqué de chemins dont on a peine à sortir? | LABYRINTHE

4) Quel surnom les Américains donnent-ils à la ville de New York? | *BIG APPLE*

GÉOGRAPHIE :

Quelle est la capitale de chacun des pays suivants :

1) Brésil? | BRASILIA

2) Maroc? | RABAT

3) Uruguay? | MONTEVIDEO

4) Éthiopie? | ADDIS-ABEBA

HISTOIRE :

	Question	Réponse
1)	En quelle année eut lieu la prise de Constantinople par les Turcs?	En 1453
2)	En Indonésie, l'éruption du Perbuatan, en 1883, engloutit la plus grande partie de l'île. Le raz de marée atteignit 20 mètres de hauteur, et tua 35 000 personnes. Sur quelle île ce volcan est-il situé?	KRAKATOA
3)	En 1898, pour se porter à la défense de quel officier français, Émile Zola écrivit-il une célèbre lettre ouverte, intitulée *J'accuse*?	Alfred DREYFUS
4)	* Sur quelle île des Antilles cet officier fut-il gardé en détention, avant d'être gracié en 1899 et réha-bilité en 1906?	Du DIABLE

LITTÉRATURE :

Nommez l'auteur de chacune des oeuvres suivantes:

	Question	Réponse
1)	*le Mariage de Figaro.*	BEAUMARCHAIS
2)	*Hercule Poirot quitte la scène.*	Agatha CHRISTIE
3)	*le Prince et le Pauvre.*	Mark TWAIN
4)	*Quentin Durward.*	Walter SCOTT

VOCABULAIRE :

*4 **noms** commençant par la lettre " R " :*

	Question	Réponse
1)	Étoffe de laine croisée dont le poil tiré au-dehors est frisé~~	RATINE
2)	Propos répété continuellement~~ Court motif instrumental répété avant ou après chaque couplet d'une chanson~~	RITOURNELLE
3)	Maladie des plantes se manifestant par des taches brunes ou jaunes sur les tiges et les feuilles~~ Substance composée d'oxyde ferrique~~	ROUILLE
4)	Grand vitrail circulaire d'église composé d'éléments radiaux équidistants~~ Désigne aussi divers ornements circulaires en architecture, décoration ou broderie~~	ROSACE

MYTHOLOGIE :
Chez les Romains, nommez le dieu :

	Question	Réponse
1)	de la guerre.	MARS
2)	des océans et des mers.	NEPTUNE
3)	du vin.	BACCHUS
4)	de l'amour.	CUPIDON

FRANÇAIS :

	Question	Réponse
1)	Lorsqu'on veut parler du vin qui a une bonne odeur, quelle expression utilise-t-on?	* Quel ARÔME! * Quel BOUQUET!
2)	Donnez à cette phrase la forme passive : *Le chat mange la souris*.	LA SOURIS EST MANGÉE PAR LE CHAT
3)	Quel mot commençant par la lettre "O" désigne quelqu'un qui est impartial, sans préjugés?	OBJECTIF
4)	Qu'est-ce qu'un *maître-queux*?	Un CUISINIER

SCIENCES GÉNÉRALES :
Appareils :

	Question	Réponse
1)	Avec quel appareil analyse-t-on la lumière?	SPECTROSCOPE
2)	Quel instrument sert à mesurer la densité (masse spécifique) des liquides?	* ARÉOMÈTRE * DENSIMÈTRE
3)	Quel appareil sert à enregistrer l'amplitude des tremblements de terre?	*SISMOGRAPHE *SÉISMOGRAPHE
4)	Le radar fut inventé suite à l'observation d'un animal qui repère les obstacles en émettant des ultrasons. Identifiez ce petit animal.	La CHAUVE-SOURIS

MATHÉMATIQUES :

N.B. : attendre le signal "*égale*".

1) 6 X 3 ÷ 6 X 4 - 7 X 2... *égale*... | 10

2) 3,5 - 0,5 X 2,5 ÷ 0,5 - 15... *égale*... | 0

3) (9 - 6 X 5 ÷ 3 X 2 ÷ 2 - 3)²....*égale*... | 4

4) $\sqrt[4]{}$ de 9²....*égale*... | 3

ÉCONOMIE :

1) En économie, comment nomme-t-on la politique qui, par une diminution des revenus, veut obtenir la baisse des prix? | DÉFLATION

2) Comment appelle-t-on l'excès de la demande de la part des consommateurs par rapport à la quantité de biens qui leur sont offerts, créant une pénurie? | INFLATION

3) Quel mot désigne la quantité de biens économiques qu'un individu est disposé à acheter? | DEMANDE

4) Quel mot désigne la quantité de biens économiques que le vendeur est disposé à fournir? | OFFRE

MUSIQUE CLASSIQUE :

Nommez le compositeur de chacune des oeuvres suivantes :

1) *la Veuve joyeuse*? | Franz LEHAR

2) *la Reine de Saba*? | Charles GOUNOD

3) *Rhapsodies hongroises*? (au nombre de 19) | Franz LISZT

4) *la Chauve-souris*? | Johann II STRAUSS

ARTS :

	Question	Réponse
1)	Qu'entend-on par *le septième art*?	Le CINÉMA
2)	Comment dit-on *art* en espagnol ou en italien?	ARTE
3)	Dans quelle ville peut-on admirer *la Vénus de Milo*?	PARIS
4)	* À quel endroit est-elle exposée?	Au LOUVRE

GÉOGRAPHIE :

De quel principal pays nous viennent les eaux-de-vie suivantes :

	Question	Réponse
1)	La *tequila*?	Du MEXIQUE
2)	Le *schnaps*?	De l'ALLEMAGNE
3)	La *grappa*?	De l'ITALIE
4)	La *vodka*?	La RUSSIE

RELIGION :

	Question	Réponse
1)	Quel nom porte le premier livre de la Bible?	GENÈSE
2)	Qui fut le premier roi des Hébreux?	SAÜL
3)	Quel roi engagea un célèbre joueur de harpe?	SAÜL
4)	* Qui était ce joueur de harpe?	DAVID

SPORTS :

	Question	Réponse
1)	Qu'est-ce qu'un *pongiste*?	Un JOUEUR DE PING-PONG
2)	Quel est le sport le plus populaire en Amérique latine?	Le FOOTBALL (soccer)
3)	Quel footballeur a été élu le plus *Grand Sportif* du XXe siècle, en juillet 1980?	PÉLÉ
4)	* Dans quel pays cet athlète est-il né en 1940?	Au BRÉSIL

LES INDICES D'UNE PERSONNALITÉ :

	Indice	Réponse
A)	Il fut choisi *Boxeur du Siècle* le 22 février 1981.	Joe LOUIS
B)	Il fut champion mondial, catégorie poids lourd, durant onze ans et demi.	
C)	Il est né le 13 mai 1914. Il passa la majeure partie de sa vie à Détroit.	
D)	Son championnat du monde date de 1937 à 1948. De race noire. Il est décédé en avril 1981.	

DIVERS :

	Question	Réponse
1)	Quel Américain a, le premier, atteint le pôle Nord, en 1909?	Robert PEARY
2)	* Quel Norvégien en fit autant au pôle Sud, en 1911?	Roald AMUNDSEN
3)	Quel nom donne-t-on à la musique pour chant et danse, habituellement accompagné à la guitare et originaire d'Andalousie?	Le FLAMENCO
4)	Quel personnage mythologique porte la *voûte du ciel* sur son dos?	ATLAS

GÉOGRAPHIE :

Si l'on sépare l'Eurasie en deux parties... :

	Question	Réponse
1)	Quel continent est le plus populeux au monde?	ASIE
2)	* le moins populeux? (En omettant l'Antarctique)	OCÉANIE
3)	* lequel a la densité de population la plus élevée? (densité : n. habitants/km²)	EUROPE
4)	* et le second, pour sa densité?	ASIE

LITTÉRATURE :

Identifier les auteurs des oeuvres suivantes :

	Question	Réponse
1)	*David Copperfield*?	Charles DICKENS
2)	*Le Dernier des Mohicans*?	Fenimore COOPER
3)	*La Tulipe noire*?	Alexandre DUMAS
4)	*Moby Dick ou La Baleine blanche*?	Herman MELVILLE

VOCABULAIRE :

*4 **noms** commençant par la lettre " S " :*

	Question	Réponse
1)	Ruse, moyen détourné pour se tirer d'embarras~~ Échappatoire~~ Stratagème~~	SUBTERFUGE
2)	Opération intellectuelle qui procède du simple pour aboutir au composé~~ Opération mentale qui consiste à regrouper des faits épars et à les structurer en un tout~~	SYNTHÈSE
3)	Surnom, le plus souvent comique, souvent donné par dérision~~	SOBRIQUET
4)	Filet de pêche de forme triangulaire que l'on traîne sur les fonds sablonneux peu profonds~~ Nappe de filets de pêche~~	* SEINE * SENNE

ÉCONOMIE :
Quelle est l'unité monétaire de chacun des pays suivants :

Question	Réponse
1) Le Japon?	Le YEN
2) Royaume-Uni?	La LIVRE STERLING
3) Mexique?	Le PESO
4) Venezuela?	Le BOLIVAR

PROVERBES :
Complétez les proverbes suivants :

Question	Réponse
1) Tel est pris, qui...	CROYAIT PRENDRE
2) Le temps, c'est...	DE L'ARGENT
3) Tous les goûts sont...	DANS LA NATURE
4) Toute peine mérite...	SALAIRE

BIOLOGIE-MÉDECINE :

Question	Réponse
1) Où le cervelet est-il situé par rapport au cerveau?	SOUS LE CERVEAU, VERS L'ARRIÈRE
2) Quelle maladie métabolique peut durer plusieurs jours et consiste en une douleur lancinante qui saisit le sujet habituellement au gros orteil?	La GOUTTE
3) Quelle partie du corps humain la *rhinoplastie* modifie-t-elle?	Le NEZ
4) Quel viscère du corps humain dit-on familièrement que l'on fait se dilater lorsqu'on rit?	La RATE

DIVERS :

Sous quel signe astrologique sont nées les personnes dont on fête l'anniversaire à chacune des dates suivantes :

1) le 5 mars? | POISSONS

2) le 31 mai? | GÉMEAUX

3) le 15 avril? | BÉLIER

4) le 30 novembre? | SAGITTAIRE

GÉOGRAPHIE :

Nommez la capitale de chacun des pays suivants :

1) Cuba. | LA HAVANE

2) la Norvège. | OSLO

3) le Liban. | BEYROUTH

4) le Danemark. | COPENHAGUE

HISTOIRE :

1) Le 12 octobre 1492, Christophe Colomb découvre l'Amérique, en débarquant sur une île des Antilles. Nommez cette île. | * GUANAHANI * SAMANA CAY * SAN SALVADOR

2) Combien de voyages Colomb fit-il en Amérique? | QUATRE

3) Le 22 avril 1500, quel navigateur portugais prit possession du seul territoire de l'Amérique du Sud que son pays colonisera? | Pedro CABRAL

4) * Aujourd'hui, de quel pays s'agit-il? | Du BRÉSIL

LITTÉRATURE :

1)	Quel nom donne-t-on au mouvement littéraire français, de 1820 à 1843?	Le ROMANTISME
2)	Quel poète français a écrit *Lettre à Lamartine, L'Espoir en Dieu, Souvenir* et *Tristesse*?	Alfred DE MUSSET
3)	Quel grand écrivain français s'est exilé de 1851 à 1870 dans les îles Jersey et Guernesey?	Victor HUGO
4)	* Nommez l'un des deux postes politiques que celui-ci occupa au cours de sa vie.	* DÉPUTÉ * SÉNATEUR

DIVERS :

1)	Quel nom donne-t-on à la partie d'une arme à feu qui sert de guide à l'action du percuteur sur l'amorce de la cartouche?	Le CHIEN
2)	De quelle société un *rosicrucien* est-il membre?	De la ROSE-CROIX
3)	Sur quel drapeau apparaissent cinq anneaux (bleu, jaune, noir, vert et rouge) entrelacés sur fond blanc?	OLYMPIQUE
4)	Quelle civilisation inventa le sablier?	GRECQUE

FRANÇAIS :

Donnez l'antonyme de chacun des mots suivants :

1)	intéressant.	* ENNUYEUX * ENNUYANT
2)	animé.	INANIMÉ
3)	analyse.	SYNTHÈSE
4)	sédentaire.	NOMADE

ZOOLOGIE :

À l'aide d'un nom d'animal, complétez les expressions suivantes :

Question	Réponse
1) un banc de ...	* POISSONS * MORUES
2) une meute de ...	CHIENS
3) une harde de ...	* CHIENS * CERFS
4) un essaim ...	D'ABEILLES

MATHÉMATIQUES :

Question	Réponse
1) Qui mit au point la géométrie analytique?	René DESCARTES
2) Un losange possède des diamètres de 10 et 15 mètres. Quelle est son aire?	75 m²
3) Quelle est la racine carrée de 64?	8
4) En géométrie théorique, qu'est-ce qui n'a aucune dimension mais qui existe tout de même?	Un POINT

ÉCONOMIE :

Question	Réponse
1) En économie, le prix est déterminé par la rencontre de deux courbes. Quelles sont ces deux courbes?	* OFFRE * DEMANDE
2) Si l'offre est abondante, que doivent faire les vendeurs de leurs prix?	Les BAISSER
3) Dans quel genre de marché le vendeur peut-il imposer son prix?	MONOPOLE
4) Quel nom donne-t-on à la *barrière* qui, par l'offre d'un autre produit semblable, empêchera l'industriel d'exagérer en établissant ses prix?	CONCURRENCE

MUSIQUE CLASSIQUE :

Qui a composé :

	Question	Réponse
1)	*Paillasse*? (en 1892)	LEONCAVALLO
2)	*La Tosca*? (en 1900)	PUCCINI
3)	*Manon*? (en 1884)	MASSENET
4)	*Le Barbier de Séville*? (en 1816)	ROSSINI

LE 7e ART :

	Question	Réponse
1)	Quel acteur américain fut le héros du film *High Noon* (*le Train sifflera trois fois*), tourné en 1952?	Gary COOPER
2)	Quel fut le premier film long métrage tourné en *CinémaScope*? C'était à Hollywood, aux début des années '50.	THE ROBE
3)	Quel film réalisé en 1933 fut refait en 1977? Il mettait en vedette un gorille géant à New York?	KING KONG
4)	Quelle actrice française, née en 1920, a pour nom véritable Simone Roussel?	Michèle MORGAN

DIVERS :

	Question	Réponse
1)	Quelle partie du corps de Cyrano de Bergerac l'a rendu célèbre?	Son NEZ
2)	* par quelle partie Achille était-il vulnérable?	Son TALON
3)	Quel nom donne-t-on aux avions à deux paires d'ailes?	BIPLANS
4)	* à ceux qui peuvent se déposer sur l'eau?	* HYDRAVIONS * AVIONS AMPHIBIES

GÉOGRAPHIE :
Quelle est la principale langue parlée dans chacun des pays suivants :

	Question	Réponse
1)	au Danemark?	Le DANOIS
2)	à Cuba?	L'ESPAGNOL
3)	en Finlande?	* Le FINNOIS * Le SUÉDOIS
4)	en Israël?	L'HÉBREUX

VOCABULAIRE :
4 ***adjectifs*** *commençant par la lettre " F "* :

	Question	Réponse
1)	Qui se satisfait d'aliments simples, peu abondants~~ Qui vit simplement~~	FRUGAL
2)	Épris, passionné d'une idée, d'une science~~	FÉRU
3)	Mince~~ D'apparence grêle~~ Délicat~~	FLUET
4)	Qui est rapide~~ Qui est brillant comme l'éclair~~ Qui jette une lumière rapide et aveuglante~~	FULGURANT

RELIGION :

	Question	Réponse
1)	Quel nom porte le neuvième mois de l'année islamique, consacré au jeûne et aux privations?	le RAMADAN
2)	Quel nom donne-t-on à un chef de la religion musulmane?	* IMAN * IMAM
3)	En quelle année de l'ère chrétienne débuta l'ère de l'Islam?	en 622
4)	* Quel nom porte l'ère qui a commencé à cette date où Mahomet s'est alors enfui de la Mecque pour Médine?	HÉGIRE

	Question	Réponse
	OLYMPISME :	
1)	En plus du ski acrobatique et des sauts à ski, il y a le ski alpin. Nommez deux des quatre épreuves de ski alpin olympique?	* DESCENTE * SLALOM * GEANT * SUPER G.
2)	Quel autre nom donne-t-on au *ski de fond*?	* SKI NORDIQUE *DE RANDONNÉE
3)	Il y a cinq types de nages en compétition olympique sont : la *brasse*, le *dos*... Nommez-en deux autres.	* CRAWL * PAPILLON * LIBRE
4)	Depuis 1984, aux Olympiques d'été, quelle est l'épreuve de course la plus longue, pour les femmes?	Le MARATHON
	LES INDICES D'UNE PERSONNALITÉ :	
A)	À l'âge de 14 ans, après deux auditions du *Miserere de Allegri* entendu à la chapelle Sixtine, il transcrivit l'oeuvre de mémoire.	Wolfgang Amadeus MOZART
B)	Dès l'âge de 6 ans, l'enfant prodige avait donné des récitals dans les salons européens les plus brillants.	
C)	Compositeur autrichien né en 1756, il mourut en 1791.	
D)	Il est l'auteur de : les *Noces de Figaro*, *Don Giovanni* et *la Flûte enchantée*...	
	DIVERS :	
1)	Quel nom d'artiste portait le ténor italien Alfredo Arnold Cocozza, vedette de disques et de films?	Mario LANZA
2)	Quel nom portait le bateau-explorateur du commandant Jacques-Yves Cousteau qui fut coulé le 8 janvier 1996?	La *CALYPSO*
3)	Dans quel pays a-t-on inauguré la première voie ferrée, le 27 septembre 1825?	En ANGLETERRE
4)	Le dernier verre que l'on prend avant de se quitter est appelé "*night cap*". Donnez l'expression française correspondante.	Le *COUP DE L'ÉTRIER*

GÉOGRAPHIE :

Quel cours d'eau traverse chacune des villes suivantes :

	Question	Réponse
1)	Moscou?	La MOSKOVA
2)	Madrid?	La MANZANARES
3)	Vienne?	Le DANUBE
4)	Le Caire?	Le NIL

LITTÉRATURE :

	Question	Réponse
1)	Quel Américain est l'auteur du roman *Des souris et des hommes*?	John STEINBECK
2)	Quel Britannique publia *la Guerre des Mondes* en 1898, décrivant la venue de Martiens sur Terre?	H.G. WELLS
3)	* Quel acteur américain déclencha une panique générale aux É.-U. durant les années '1930, en décrivant et jouant des passages de ce roman à la radio?	Orson WELLES
4)	De quelle femme Cyrano de Bergerac était-il amoureux, dans la comédie d'Edmond Rostand?	ROXANE

DIVERS :

	Question	Réponse
1)	Combien de récipients composent un bain-marie?	DEUX
2)	Quel remède est prétendu universel pour guérir tous les maux, toutes les maladies?	Une PANACÉE
3)	Comment nomme-t-on la répétition d'un son due à la réflexion des ondes sonores sur un obstacle?	L'ÉCHO
4)	Aux échecs, quelle pièce ennemie faut-il mater pour gagner la partie?	Le ROI

PROVERBES :
Complétez les proverbes suivants :

	Question	Réponse
1)	La fin justifie...	LES MOYENS
2)	La fortune vient...	EN DORMANT
3)	Les grands diseurs ne sont pas...	LES GRANDS FAISEURS
4)	Heureux au jeu, ...	MALHEUREUX EN AMOUR

ZOOLOGIE :

	Question	Réponse
1)	Le petit de quel mammifère de l'ordre des pinnipèdes, aux oreilles sans pavillon, est chassé pour sa fourrure? On l'appelle aussi *blanchon*.	Le PHOQUE
2)	Quel nom désigne celui qui empaille les animaux?	TAXIDERMISTE
3)	Quel est le nom scientifique du *ver de terre*?	LOMBRIC
4)	Quel est le plus gros mammifère chassé au XXe siècle?	La BALEINE

DIVERS :
À quel domaine associez-vous chacune des personnes suivantes :

	Question	Réponse
1)	Anne Hébert?	LITTÉRATURE
2)	Yves Montand?	* CHANSON * CINÉMA
3)	Giuseppe Verdi?	* OPÉRA * MUSIQUE CLASSIQUE
4)	Joe Louis?	SPORT (boxe)

GÉOGRAPHIE :

Question	Réponse
1) Dans quelle mer le Danube va-t-il se jeter?	La mer NOIRE
2) Sur quelle place de Paris l'Arc de Triomphe s'élève-t-il?	Pl. *CHARLES-DE-GAULLE*
3) Quel pays européen, sur la côte Atlantique, a déjà appartenu à Rome, à l'Espagne, à la France et à l'Autriche? Depuis le XIXe siècle, il est dirigé par une monarchie constitutionnelle.	Les PAYS-BAS
4) Quel nom donne-t-on à une source naturelle d'eau chaude jaillissant de la Terre?	Un GEYSER

HISTOIRE :

Question	Réponse
1) De quelle origine étaient la majorité des esclaves américains des XVIIe et XVIIIe siècles?	AFRICAINE
2) Nommez les deux principales sortes de plantations dans lesquelles on faisait travailler les esclaves noirs.	* COTON * TABAC
3) Au XIXe siècle, quelle guerre résulta de l'abolition de l'esclavagisme aux États-Unis?	De SÉCESSION (1861-1865)
4) À 2 % près, quel pourcentage de la population actuelle des États-Unis est de race noire?	10 %

LITTÉRATURE :

Question	Réponse
1) Quel prénom portait le poète dramatique Racine?	JEAN
2) * l'écrivain Baudelaire?	CHARLES
3) * le philosophe Sartre?	JEAN-PAUL
4) * le poète Verlaine?	PAUL

DIVERS :

	Question	Réponse
1)	Dans quelle ville fut tenue l'*EXPO-1900*?	PARIS
2)	Quelles sont les deux couleurs des feux de position que tout avion doit posséder?	* ROUGE * VERT
3)	Quel nom porte l'ouverture à diamètre réglable, placée dans l'objectif d'un appareil photographique, dans le but de faire varier la quantité de lumière y entrant?	DIAPHRAGME
4)	Quelle célèbre oeuvre architecturale peut-on admirer sur l'île Bedloe (*Liberty Island)*, à New York?	La statue de *LA LIBERTÉ*

VOCABULAIRE :

	Question	Réponse
1)	Quel nom désigne celui qui fabrique des violons?	LUTHIER
2)	Quel mot désigne le retour des vagues sur elles-mêmes, lorsqu'elles se brisent sur un obstacle?	RESSAC
3)	Donnez l'autre appellation d'*étoile filante*	MÉTÉORITE
4)	Qu'est-ce que de la *mortadelle*?	Un SAUCISSON ITALIEN

ASTRONOMIE :

	Question	Réponse
1)	Quelle étoile est la mieux connue des astronomes?	Le SOLEIL
2)	Combien de minutes la lumière du Soleil prend-elle pour nous parvenir?	HUIT minutes (+ 18 sec)
3)	La planète la plus près de la Terre porte le nom de la mère de Cupidon. Quelle est-elle?	VÉNUS
4)	Quelle planète a une année qui dure 88 jours?	MERCURE

MATHÉMATIQUES :
(attendre le signal "égale") :

Question	Réponse
1) (25 X 20 ÷ 100)² ...égale?	25
2) La demie du quart de huit... égale?	1
3) 7,3 X 5 ...égale?	36,5
4) Donnez la valeur du troisième angle d'un triangle dont les deux premiers valent 65° et 88°.	27°

ÉCONOMIE :

Question	Réponse
1) En économie, quelle expression identifie les besoins tels une coupe de cheveux ou l'extraction d'une dent?	SERVICES
2) Comment qualifie-t-on la production additionnelle attribuable au dernier employé embauché?	MARGINALE
3) Complétez l'énoncé suivant : "Le producteur doit tendre à donner à sa production le maximum de rendement possible, à un coût de revient que l'on peut qualifier de..."?	* MINIMUM * LE PLUS BAS POSSIBLE
4) Quels sont les deux sortes de frais de production auxquels doit faire face l'industriel?	* FIXES * VARIABLES

MUSIQUE CLASSIQUE :

Question	Réponse
1) Ce compositeur italien naturalisé français créa l'opéra français et mit en musique *le Bourgeois gentilhomme* de Molière. Identifiez ce violoniste.	Jean-Baptiste LULLY
2) La flûte est un instrument à vent. À quel groupe appartient-elle?	À EMBOUCHURE
3) Quel Russe a composé la musique du ballet *Le Fils prodigue*?	Sergueï PROKOFIEV
4) Quel pianiste est l'auteur de *Prélude de la goutte d'eau*?	Frédéric CHOPIN

ARTS :

1)	De quelle nationalité était le peintre Rembrandt?	* NÉERLANDAISE * HOLLANDAISE
2)	* et Jean-François Millet?	FRANÇAISE
3)	Quel peintre néerlandais fut célèbre à Paris à partir de 1886? Il se suicida en 1890.	Vincent VAN GOGH
4)	Quel nom porte le musée national de Madrid, en Espagne?	Le PRADO

VOCABULAIRE :

Chez les Anciens, les arts divinatoires se faisaient à partir de différents éléments. Comment appelle-t-on l'art de deviner à l'aide... :

1)	de terre ou cailloux?	La GÉOMANCIE
2)	de cadavres?	La NÉCROMANCIE
3)	d'animaux?	La ZOOMANCIE
4)	de rêves?	L'ONIROMANCIE

RELIGION :

1)	Quel instrument est utilisé par le prêtre pour asperger d'eau bénite?	* Le GOUPILLON * L'ASPERSOIR
2)	Les cavaliers de l'Apocalypse représentent la mort, la guerre, la peste... Que représente le quatrième?	La FAMINE
3)	Comment se nomme le seul fleuve important de la Palestine? Jésus y fut baptisé.	Le JOURDAIN
4)	Qui fonda la *Compagnie de Jésus* (Jésuites), en 1540?	IGNACE DE LOYOLA

SPORTS :

Course automobile :

	Question	Réponse
1)	Quelle ville française possède le circuit de course automobile où ont lieu chaque année les *Vingt-Quatre Heures*?	Le MANS
2)	À quelle catégorie de course automobile participait Gilles Villeneuve au moment de son accident fatal?	*FORMULE UN*
3)	Au Canada, dans quelle ville a lieu le Grand Prix de Formule Un?	MONTRÉAL (à l'île Notre-Dame)
4)	Nommez les deux pays d'Amérique du Sud qui présentent un *Grand Prix de Formule Un*.	* ARGENTINE * BRÉSIL

LES INDICES D'UNE PERSONNALITÉ :

	Indice	Réponse
A)	Ce journaliste américain est né en 1847 et décédé en 1911.	Joseph PULITZER
B)	Son nom est rattaché à des prix annuels, depuis 1917.	
C)	À l'époque, ces prix étaient décernés à des journalistes ou écrivains.	
D)	Depuis 1943, on les remet également à des musiciens.	

DIVERS :

	Question	Réponse
1)	Pendant quel mois de l'année chrétienne les Juifs célèbrent-ils le début d'une nouvelle année, dans leur religion?	SEPTEMBRE
2)	Une île des Antilles néerlandaises a donné son nom à une boisson alcoolisée. Laquelle?	CURAÇAO
3)	Nommez le fruit du chêne.	Le GLAND
4)	Quelle île des Antilles est dirigée depuis 1959 par un gouvernement communiste?	CUBA

GÉOGRAPHIE :

	Question	Réponse
1)	En Suisse, quel lac baigne les villes de Genève et de Lausanne?	LÉMAN
2)	Nommez le pays où coulent les cours d'eau suivants : le Tage, le Douro et l'Ebre?	En ESPAGNE
3)	Nommez les deux îles situées au sud de Terre-Neuve qui appartiennent à la République Française.	* ST-PIERRE * MIQUELON
4)	Quelle étendue d'eau sépare Sébastopol d'Istanbul?	La MER NOIRE

HISTOIRE :

Les États-Unis :

	Question	Réponse
1)	Lors du *Boston Tea-Party* de 1773, comment s'étaient déguisés les révolutionnaires américains qui jetèrent des cargaisons de thé à la mer?	En AMÉRINDIENS
2)	La fête nationale des États-Unis commémore la *Déclaration de l'Indépendance* de ce pays, en 1776. À quelle date les Américains fêtent-ils cet événement chaque année?	Le 4 JUILLET
3)	Qui fut élu le premier président des É-U, après l'indépendance du pays, obtenue en 1783?	George WASHINGTON
4)	De quel pays les États-Unis achetèrent-ils l'Alaska en 1867?	De la RUSSIE

LITTÉRATURE :

	Question	Réponse
1)	Quel écrivain français du XIXe siècle publia *Le Chevalier de Lagardère*?	Paul FÉVAL
2)	Quel écrivain-poète africain a été président de son pays, le Sénégal, de 1960 à 1980?	Léopold SENGHOR
3)	À quel roi légendaire du VIe s. apr. J.-C. les légendes celtiques associent-elles les *Chevaliers de la Table ronde*?	Le roi ARTHUR
4)	Dans une oeuvre de Shakespeare, Desdémone est étranglée par son mari. Quel est le nom de ce dernier?	OTHELLO

VOCABULAIRE :

Les navires :

1)	Comment nomme-t-on la partie avant d'un navire?	La PROUE
2)	Si l'on regarde de l'arrière d'un navire vers l'avant, quel nom porte le côté gauche?	BÂBORD
3)	*... et le côté droit?	TRIBORD
4)	Quel nom porte la partie la plus basse de l'intérieur d'un navire?	La CALE

BIOLOGIE :

1)	Quel nom porte le mode de division d'une cellule vivante?	* La MITOSE * La MÉIOSE
2)	* quel nom donne-t-on à la première phase de cette division?	La PROPHASE
3)	* laquelle se situe entre la métaphase et la dernière étape de la séparation?	L'ANAPHASE
4)	* quel nom porte la dernière étape avant d'obtenir deux cellules-filles?	La TÉLOPHASE

DIVERS :

1)	De quel drapeau l'emblême de la Croix-Rouge s'inspire-t-il?	De la SUISSE
2)	Quelle sainte est considérée comme la patronne des musiciens?	Sainte CÉCILE
3)	Combien de carats représente un bijou contenant de l'or pour 75 % de son poids?	18 K
4)	Dans quelle ville du Proche-Orient peut-on visiter la *Place des Canons*?	BEYROUTH

GÉOGRAPHIE :

Quelle est la capitale de chacun des pays suivants :

	Question	Réponse
1)	le Pérou?	LIMA
2)	le Viêt nam?	HANOÏ
3)	l'Iran?	TÉHÉRAN
4)	la Colombie?	BOGOTA

LITTÉRATURE :

Donnez le prénom de chacun des écrivains français suivants :

	Question	Réponse
1)	Malraux?	ANDRÉ
2)	Apollinaire?	GUILLAUME
3)	Romains?	JULES
4)	Mallarmé?	STÉPHANE

DIVERS :

Le système métrique :

	Question	Réponse
1)	En quelle année fut-il adopté?	En 1793 (1er août)
2)	* Quel gouvernement français adopta ce système?	L'ASSEMBLÉE CONSTITUANTE
3)	En quelle année fut mis au point l'étalon-métrique?	En 1799
4)	* Nommez l'un des deux astronomes français qui le produisirent.	* P. MÉCHAIN * J.B. DELAMBRE

PROVERBES :

Complétez les proverbes suivants :

	Question	Réponse
1)	Ne fais pas à autrui ce que tu ne voudrais pas...?	QU'ON TE FIT
2)	N'éveillez pas le chat...?	QUI DORT
3)	La nuit porte...?	CONSEIL
4)	Nul n'est prophète...?	EN SON PAYS

INVENTEURS ET INVENTIONS :

	Question	Réponse
1)	Quel Français inventa, entre 1639 et 1642, la première machine à calculer?	Blaise PASCAL
2)	Vers 550 av. J.-C., qu'a inventé Anaximandre, de l'école ionienne?	Le CADRAN SOLAIRE
3)	La lampe de sûreté, autrefois utilisée par les travailleurs miniers, portait le nom de son inventeur. Nommez-le.	DAVY (sir Humphry)
4)	Breveté en 1840, le code utilisé pour les communications porte lui aussi le nom de son inventeur. Nommez cet Américain...	Samuel MORSE

MATHÉMATIQUES :

	Question	Réponse
1)	Que vaut le tiers de 102?	TRENTE-QUATRE
2)	Quelle est la valeur de "x" dans l'équation suivante : $\frac{2x}{3} = 40$	SOIXANTE
3)	Que vaut 5 fois le tiers de 39?	65
4)	Quelle est la racine cubique de 64?	QUATRE

ÉCONOMIE :

Question	Réponse
1) Pour l'industriel, quels frais sont indépendants du volume de la production?	FRAIS FIXES
2) La courbe de quels coûts va constamment en descendant dans un graphique des coûts et des unités de production?	COÛTS FIXES
3) Si l'entrepreneur veut savoir s'il est en pertes ou en profits, il doit établir deux courbes. Lesquelles?	* COÛT TOTAL * RECETTES TOTALES
4) Même si l'industriel ne produit aucune unité, quels frais demeurent?	Ses FRAIS FIXES

MUSIQUE CLASSIQUE :
Identifiez le compositeur de chacune des oeuvres :

Question	Réponse
1) *Le vol du bourdon*?	RIMSKI-KORSAKOV
2) *l'Arlésienne*?	BIZET
3) *Csardas*?	MONTI
4) *Clair de Lune*?	DEBUSSY

ARTS :
Nommez le créateur de chacune de ces oeuvres célèbres :

Question	Réponse
1) *La Dernière Cène*?	LÉONARD DE VINCI
2) *La Création du Monde* et *la Création de l'Homme*?	MICHEL-ANGE
3) *L'Angélus*?	Jean-François MILLET
4) *La Leçon d'anatomie*?	REMBRANDT

ÉCONOMIE :

Quelle est l'unité monétaire de chacun des pays suivants :

1)	La Russie?	Le ROUBLE
2)	La Pologne?	Le ZLOTY
3)	L'Algérie?	Le DINAR algérien
4)	Le Pérou?	Le SOL

RELIGION :

1)	Nommez le fondateur de la religion musulmane.	MAHOMET
2)	Quel nom porte le livre saint de l'Islam?	Le CORAN
3)	Quel nom porte le Dieu des Musulmans?	ALLAH
4)	Nommez l'une des trois principales villes saintes de l'islam.	* MÉDINE * JÉRUSALEM * LA MECQUE

SPORTS :

La boxe :

1)	Dans la boxe professionnelle, quel est le poids maximum que peut atteindre un poids-lourd?	IL N'Y A PAS DE LIMITE
2)	Qui ravit le championnat du monde à Ken Norton, le 9 juin 1978?	Larry HOLMES
3)	Quel ancien champion poids-lourd du monde a perdu lors d'un combat de championnat, le 2 octobre 1980, contre Larry Holmes?	Muhammad ALI
4)	* Quel nom ce dernier portait-il à ses débuts dans la boxe professionnelle?	Cassius CLAY

LES INDICES D'UNE PERSONNALITÉ :

Question	Réponse
A) Il est né à Rome en 1901 et décédé aux É-U en 1954.	Enrico FERMI
B) Physicien, il préconisa l'emploi des neutrons pour désintégrer l'atome.	
C) On lui décerna le prix Nobel de physique en 1938.	
D) Il planifia la construction de la première pile atomique à Chicago.	

LE 7e ART :

Question	Réponse
1) Jusqu'en 1985, quel film d'Hollywood avait rapporté les plus grandes recettes de toute l'histoire du cinéma?	* *GONE WITH THE WIND* * *AUTANT EN EMPORTE LE VENT*
2) * Tourné en 1977, quel grand film de science-fiction se classait au second rang, à l'époque?	*STAR WARS*
3) Quelle actrice américaine fut assassinée en 1969 par Charles Manson et son groupe?	Sharon TATE
4) À quel cinéaste français devons-nous *Zazie dans le métro* (1960) et *Atlantic City* (1980)?	Louis MALLE

GÉOGRAPHIE :

Question	Réponse
1) De quel pays l'Ukraine faisait-elle partie avant 1992?	L'U.R.S.S.
2) Pour quel nom changea-t-on celui de Stalingrad durant la déstalinisation, en 1961?	VOLGOGRAD
3) Quatre pays ont une frontière commune avec la Grèce. Citez-en deux.	* MACÉDOINE * BULGARIE * ALBANIE
4) * Nommez-en un troisième.	* TURQUIE

LITTÉRATURE :

	Question	Réponse
1)	Quel nom donne-t-on à une personne auxiliaire qui prépare ou rédige un travail littéraire ou artistique pour autrui?	Un NÈGRE
2)	Quel groupe avait pour devise *Tous pour un et un pour tous!*?	Les *TROIS MOUSQUETAIRES*
3)	Quelle héroïne de Shakespeare a fait assassiner Duncan, le roi d'Écosse?	Lady MACBETH
4)	De quel bateau le capitaine Haddock hérita-t-il?	*LA TOISON D'OR*

DIVERS :

	Question	Réponse
1)	Composé en 1814, quel est le titre de l'hymne national des États-Unis?	STAR SPANGLED BANNER
2)	Dans quelle ville européenne pourriez-vous loger à l'hôtel Savoy?	LONDRES
3)	Que signifie l'expression «*tirer les vers du nez*»?	* FAIRE AVOUER * FAIRE DIRE...
4)	À quelle date, chaque année, célèbre-t-on la *Fête des Travailleurs*, dans les principaux pays du monde?	le 1er MAI

VOCABULAIRE :

	Question	Réponse
1)	La *gravelle* est la formation de calculs dans les reins ou la vessie. Quel nom désigne du sable mêlé à des cailloux?	GRAVIER
2)	Comment qualifie-t-on un serpent qui peut injecter du venin?	VENIMEUX
3)	*... et une plante qui renferme du poison?	VÉNÉNEUSE
4)	Quel nom porte la dernière partie d'un discours?	* PÉRORAISON * CONCLUSION

BIOLOGIE-MÉDECINE : *Comment nomme-t-on chacun des spécialistes dans les domaines suivants* :	
1) La chirurgie plastique?	PLASTICIEN
2) Les accouchements?	OBSTÉTRICIEN
3) Les maladies de la peau?	DERMATOLOGUE
4) Les maladies des organes féminins?	GYNÉCOLOGUE
DIVERS :	
1) Quelles sont, aux échecs, les deux pièces ennemies qui ne s'attaquent jamais l'une à l'autre?	Les deux ROIS
2) Qu'ont en commun les chaînes internationales suivantes : Méridien, Ciga, Hilton, Hyatt-Regency, Holiday Inn...?	HÔTELS
3) Quel médecin français a fait adopter la guillotine pour les exécutions en France en 1789?	Ignace GUILLOTIN
4) De quelle céréale tire-t-on la farine pour la confection habituelle du pain?	Du BLÉ
GÉOGRAPHIE : *Dans quel continent situez-vous chacun des pays suivants* :	
1) le Maroc?	AFRIQUE
2) Andorre?	EUROPE
3) le Salvador?	AMÉRIQUE (Centrale)
4) Saint-Marin (San Marino)?	EUROPE

HISTOIRE :
Les grands conquérants :

1) Qui conquit le vaste territoire s'étendant de la mer Caspienne au Pacifique, de 1206 à 1227? | GENGIS KHAN

2) Quel roi de Macédoine conquit, de l'an 334 à 326 avant J.-C., un territoire s'étendant de l'Égypte aux Indes? | ALEXANDRE LE GRAND

3) Qui conquit plus de la moitié de l'Europe jusqu'à l'Asie, de 433 à 453? | ATTILA

4) * De quelle nation ce dernier était-il le roi? | Des HUNS

LITTÉRATURE :
Quel est le prénom de chacun des écrivains français suivants :

1) Gide? | ANDRÉ

2) Proust? | MARCEL

3) Valéry? | PAUL

4) Cocteau? | JEAN

ÉCONOMIE :
Quelle est l'unité monétaire de chacun des pays suivants :

1) le Pakistan? | La ROUPIE pakistanaise

2) l'Iran? | Le RIAL

3) les Pays-Bas? | * Le GULDEN * Le FLORIN

4) l'Égypte? | La LIVRE égyptienne

VOCABULAIRE :

	Question	Réponse
1)	Quel mot commençant par " *S* " exprime le mieux des goûts qui varient avec les opinions personnelles de chacun, individuels...?	SUBJECTIFS
2)	Qu'est-ce qu'un *moratoire*?	* SUSPENSION * DÉLAI * AJOURNEMENT
3)	Quel mot commençant par " *I* " désigne une question qui est trompeuse, qui renferme un piège, qui est fallacieuse?	INSIDIEUSE
4)	Quel mot commençant par " *F* " qualifie une personne non-émotive, d'un caractère impassible, calme...?	FLEGMATIQUE

LES SCIENTIFIQUES :

	Question	Réponse
1)	La psychologie a fait un pas en avant en proposant le concept du subconscient. Quel savant fit cette découverte en 1908?	Sigmund FREUD
2)	À quel chimiste britannique devons-nous la découverte de l'oxygène? (en 1774)	Joseph PRIESTLEY
3)	Quel botaniste autrichien a établi les premières lois de l'hérédité (génétique), en 1865?	Gregor MENDEL
4)	Quel inventeur reconnut le premier la force élastique de la vapeur d'eau? Ainsi, il fit actionner un piston, grâce à la vapeur concentrée.	Denis PAPIN

MATHÉMATIQUES :

	Question	Réponse
1)	Quelle est la valeur de la diagonale d'un rectangle ayant 3 comme hauteur et 4 de base?	CINQ
2)	Quels sont les facteurs de $x^2 - 4$?	$(x-2)(x+2)$
3)	Quels sont les facteurs de $x^2 - 2xy + y^2$?	* $(x-y)^2$ * $(x-y)(x-y)$
4)	Quels sont les facteurs de $x^2 - y^2$?	$(x+y)(x-y)$

ÉCONOMIE :

Question	Réponse
1) Quels frais d'une entreprise n'ont aucune influence sur la production?	Les frais FIXES
2) Que doit prévoir l'industriel s'il veut la survie de son industrie?	Faire des PROFITS
3) Comment nomme-t-on le bilan national, ou la somme des biens et services d'une nation en une année?	REVENU NATIONAL
4) Qu'obtient-on lorsqu'on ajoute les amortissements au produit national net (PNN)?	* Le PNB * Le PRODUIT NATIONAL BRUT

MUSIQUE CLASSIQUE :

Nommez le compositeur de chacune des oeuvres suivantes :...

Question	Réponse
1) *l'Apprenti sorcier*?	Paul DUKAS
2) *la Beauté de la Nature*?	Antonin DVORAK
3) *Nuages*?	Claude DEBUSSY
4) *la Symphonie fantastique*?	Hector BERLIOZ

LE 7e ART :

Qui complétait le tandem avec chacun des acteurs suivants :

Question	Réponse
1) Stan Laurel?	Oliver HARDY
2) Jerry Lewis?	Dean MARTIN
3) Richard Burton?	Elisabeth TAYLOR
4) Lou Costello?	Bud ABBOTT

	GÉOGRAPHIE :	
1)	Quelle est la première source de revenus du Mexique?	Le PÉTROLE
2)	*... et quelle est sa seconde source?	Le TOURISME
3)	Qu'est-ce qu'une *polka*?	Une DANSE
4)	* de quel pays est-elle originaire?	De POLOGNE

	HISTOIRE :	
1)	Dans quel pays est né Christophe Colomb?	ITALIE
2)	* Il découvre les Antilles en 1492. Pour quel pays travaillait-il alors?	L'ESPAGNE
3)	* Lors de ce voyage, quel étaient les noms des trois navires qu'il commandait?	* NIÑA * PINTA * SANTA MARIA
4)	Dans les années 1530, quel conquistador dirigea 170 aventuriers espagnols qui pillèrent, massacrèrent et conquirent l'empire des Incas?	Francisco PIZARRO

	RELIGION :	
1)	Comment nomme-t-on la tour d'une mosquée, du haut de laquelle un muezzin fait les appels à la prière?	Le MINARET
2)	* Combien d'appels sont ainsi faits chaque jour?	CINQ
3)	Dans la religion islamique, qu'est-ce qu'un *surate* (ou) *sourate*?	Un CHAPITRE DU CORAN
4)	Nommez le *protestant* allemand qui brûla une bulle du pape Léon X qui le condamnait, sur la place publique de Wittenberg, le 10 décembre 1520.	Martin LUTHER

SPORTS :

	Question	Réponse
1)	À quel sport associez-vous les noms suivants : Steven Richardson, Lee Rinker, Ray Stewart, George Archer et Lee Trevino?	Au GOLF
2)	Aux Jeux olympiques d'hiver, quels sont les deux types de patinage qui y sont inscrits?	* ARTISTIQUE * De VITESSE
3)	Quel nom désigne la pièce de cuir que l'archer porte afin de protéger son bras qui retient l'arc?	* BRACELET * BRASSARD
4)	À quel sport associez-vous les noms suivants : Maria Bueno, Billie Jean King, Chris Evert-Lloyd et Evonne Goolagong?	Au TENNIS

LES INDICES D'UNE PERSONNALITÉ :

	Indice	Réponse
A)	Je suis né le 24 mars 1930 à Slater, Missouri, et mort au Mexique le 7 novembre 1980.	Steve McQUEEN
B)	Je dois ma célébrité au cinéma.	
C)	Je jouai le rôle d'un bagnard français qui s'évada de la Guyane française.	
D)	Je fus l'acteur principal des films suivants : *La Grande Évasion* et *Papillon*.	

PROVERBES :

Complétez les proverbes suivants :

	Proverbe	Réponse
1)	Mauvaise herbe... ?	CROÎT TOUJOURS
2)	Mains froides, ...?	COEUR CHAUD
3)	Mettre la charrue devant (ou avant)... ?	LES BOEUFS
4)	Les murs ont... ?	DES OREILLES

GÉOGRAPHIE :

	Question	Réponse
1)	Quelle chaîne de montagnes sépare la France de l'Espagne?	Les PYRÉNÉES
2)	* Et la France de l'Italie?	Les ALPES
3)	À quel pays appartient l'archipel des Açores?	Au PORTUGAL
4)	* et celui des Baléares, ainsi que les Canaries?	À l'ESPAGNE

HISTOIRE :

	Question	Réponse
1)	Quelle civilisation fut la première à faire l'expérimentation de la démocratie?	GRECQUE
2)	Dans quel pays a débuté la *révolution industrielle* au milieu du XVIIIe siècle?	* ANGLETERRE * GR-BRETAGNE
3)	Quelle classe sociale a dominé le monde occidental au cours du XIXe siècle?	La BOURGEOISIE
4)	Nommez la guerre opposant les colons hollandais et les Britanniques, en Afrique du Sud, de 1899 à 1902.	* Des BOERS * Du TRANSVAAL

LITTÉRATURE :

Sous quel pseudonyme connaissons-nous mieux les écrivains français suivants :

	Question	Réponse
1)	François-Marie Arouet?	VOLTAIRE
2)	Julien Viaud?	Pierre LOTI
3)	Henri Beyle?	STENDHAL
4)	Émile Herzog?	André MAUROIS

VOCABULAIRE :
*4 **noms** commençant par la lettre " P " :*

1)	Magistrat romain qui rendait la justice~~	PRÉTEUR
2)	Assemblage de poulies servant à hisser une charge à la verticale sur une course limitée~~	PALAN
3)	Jugement provisoire basé sur des indices interprétés~~ Opinion adoptée sans examen approfondi~~	PRÉJUGÉ
4)	Grande abondance~~ En grande quantité~~	PROFUSION

DIVERS :

1)	Comment nomme-t-on la personne qui établit la *Carte du ciel* de quelqu'un?	Un ASTROLOGUE
2)	* Celle qui étudie la position, les mouvements et la constitution des corps célestes?	Un ASTRONOME
3)	Combien de roues possède un vélocipède?	DEUX
4)	Comment désigne-t-on la couverture légère de protection d'un livre?	Une JAQUETTE

PHYSIQUE :
Que définit-on par :

1)	Une ligne imaginaire, perpendiculaire à la surface d'un miroir ?	Une NORMALE (au miroir)
2)	Une image provenant d'un miroir renvoyant un faisceau de rayons divergents?	UNE IMAGE VIRTUELLE
3)	La distance entre le foyer principal et le centre d'un miroir parabolique?	La DISTANCE FOCALE
4)	Un milieu transparent, limité par deux surfaces généralement recourbées?	Une LENTILLE

MATHÉMATIQUES :

	Question	Réponse
1)	Quel nom porte un triangle dont les trois angles sont égaux?	ÉQUILATÉRAL
2)	Quelle est la racine cubique de 125?	CINQ
3)	Combien faut-il de zéros pour écrire un milliard?	NEUF
4)	En théorie, s'il faut trois minutes pour faire bouillir un oeuf, combien faudra-t-il de temps pour en faire bouillir douze... ensemble?	TROIS MINUTES

ÉCONOMIE :

	Question	Réponse
1)	En économie, quel nom donne-t-on aux sommes d'argent que le gouvernement verse aux particuliers sous forme d'allocations, de pensions?	TRANSFERTS
2)	Quel *revenu* obtient-on lorsqu'on soustrait les impôts personnels du revenu des particuliers?	Le revenu DISPONIBLE
3)	En économie, quelles sont les deux façons, pour les particuliers de disposer de leurs revenus disponibles?	* DÉPENSES * ÉPARGNES
4)	En temps normal, quel pourcentage des revenus des particuliers vont aux épargnes? (à 2% près)	10 %

MUSIQUE CLASSIQUE :

	Question	Réponse
1)	Quel grand compositeur est l'auteur de 340 heures de musique classique? Il est ainsi considéré comme le plus fécond.	Joseph HAYDN
2)	Quel grand compositeur possède la plus haute moyenne d'heures de création musicale par rapport à ses années de carrière?	Franz SCHUBERT (1797-1828)
3)	Quel compositeur allemand, naturalisé français, est l'auteur des oeuvres suivantes : *la Belle Hélène, la Vie parisienne, Orphée aux enfers, les Contes d'Hoffmann* et *Robinson Crusoë*?	Jacques OFFENBACH
4)	Qui a composé *la Valse des Fleurs*?	TCHAÏKOVSKI

* * * * * *

Les jeux Olympiques d'été:

	VILLE	PAYS
1896	Athènes.	Grèce
1900	Paris.	France
1904	Saint-Louis.	États-Unis
1908	Londres.	Angleterre
1912	Stockholm.	Suède
1916	annulés	(1ère Guerre mondiale)
1920	Anvers.	Belgique
1924	Paris.	France
1928	Amsterdam.	Pays-Bas
1932	Los Angeles.	États-Unis
1936	Berlin.	Allemagne
1940	annulés	(2e Guerre mondiale)
1944	annulés	(2e Guerre mondiale)
1948	Londres.	Angleterre
1952	Helsinki.	Finlande
1956	Melbourne.	Australie
1960	Rome.	Italie
1964	Tokyo.	Japon
1968	Mexico.	Mexique
1972	Munich.	Allemagne
1976	Montréal.	Québec, Canada
1980	Moscou.	U.R.S.S.
1984	Los Angeles.	États-Unis
1988	Séoul.	Corée du sud
1992	Barcelone.	Espagne
1996	Atlanta.	États-Unis
2000	Sidney	Australie
2004		

Les jeux Olympiques d'hiver :

	VILLE	PAYS
1924	Chamonix	France
1928	Saint-Moritz	Suisse
1932	Lake-Placid	États-Unis
1936	Garmisch-Partenkirchen	Allemagne
1940	annulés	[2e Guerre mondiale]
1944	annulés	[2e Guerre mondiale]
1948	Saint-Moritz	Suisse
1952	Oslo	Norvège
1956	Cortina d'Ampezzo	Italie
1960	Squaw Valley	États-Unis
1964	Innsbruck	Autriche
1968	Grenoble	France
1972	Sapporo	Japon
1976	Innsbruck	Autriche
1980	Lake Placid	États-Unis
1984	Sarajevo	Yougoslavie
1988	Calgary	Canada
1992	Albertville	France
1994	Lillehammer	Norvège
1998	Nagano	Japon
2002	Salt Lake City	États-Unis
2006		

Principaux journaux quotidiens

pays (en 1996) :	titres (par ordre d'importance dans le pays)
Allemagne :	* 1-Bild Zeitung
	2-Allgemeine Zeitung Süddeutsche
	3-Frankfurter
Belgique :	* 1-Het Laatste
	2-Le Soir
Canada :	* The Toronto Star
	2-The Globe and Mail
	3-Le Journal de Montréal
	4-La Presse
Chine :	* 1-Le quotidien du Peuple
Espagne :	* 1-El Pais
	2-A B C
États-Unis :	* 1-USA Today
	2-Los Angeles Times
	3-New York Times
	4-Washington Post
France :	* 1-Ouest-France
	2-Le Parisien + Aujourd'hui
	3-Le Figaro
	4-France Soir
	5-Le Monde
Grande-Bretagne :	* 1-Daily Mirror
	2-The Sun
	3-Daily Mail
	4-Daily Express
	5-The Daily
Italie :	* 1-La Repubblica
	2-Corriere delle Sera
	3-La Stampa
Japon :	* 1-Yomiuri Shimbun (1er au monde)
	2-Asahi Shimbun
	3-Mainichi Shimbun
Suisse :	* 1-Blick
	2-Neue Zürcher
Russie :	* 1-La Pravda
	2-Selshaïa Jizn
	3-Izvestia

TABLE DES MATIÈRES

Culture québécoise

Le QUIZ no.4 : ... l'histoire de mon pays

2 013 questions couvrant le programme d'Histoire au niveau secondaire IV, dans les écoles secondaires du Québec.

Ce livre a servi de base pour faire un jeu d'au-delà de mille questions sur l'histoire du pays. Le jeu devant être présenté au Québec, par la société Vidéotron-Vidéoway, dans le cadre du projet UBI.

Les étudiants de sec. IV peuvent avantageusement utiliser le livre ou le jeu UBI lors de leurs révisions de modules avant de faire les examens de fin de module ou l'examen global, à la fin de l'année scolaire.

Le QUIZ no.6 : ... à la québécoise

Ce livre, présenté sous forme de thèmes divers, couvre différents domaines de l'activité québécoise.

Il comporte 1 515 questions. Le thème qui compte le plus de questions couvre les grandes lignes de notre sport national.

Les principaux autres thèmes touchés sont, par ordre alphabétique : les arts, l'économie, les expressions, la géographie, l'histoire nationale, le 7e art, la littérature, le music-hall, la musique classique, l'olympisme, la religion et la télévision.

LE QUIZ : coefficients de difficultés :

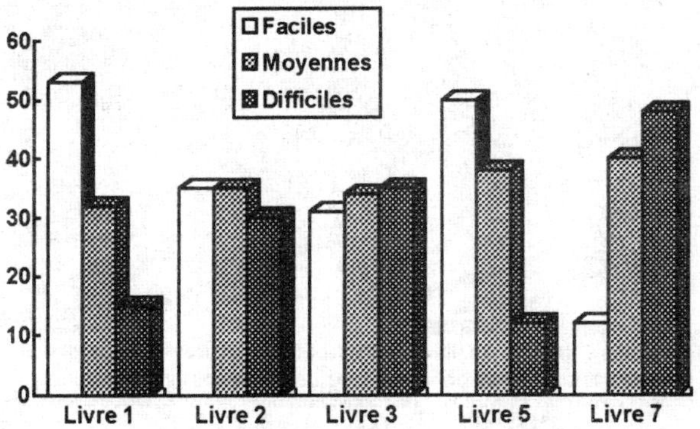

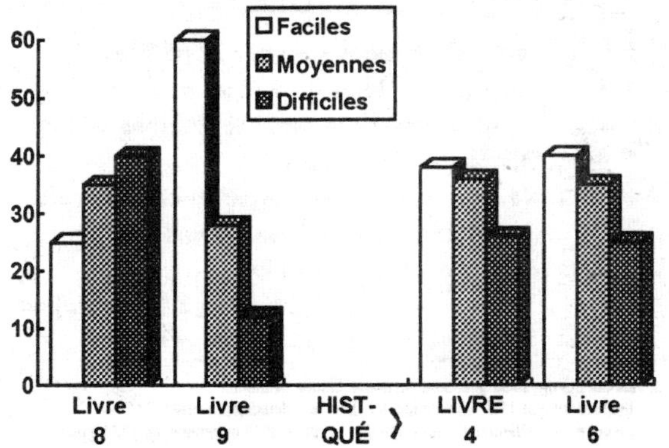

<u>Par ordre moyen de difficultés</u> : <u>(Facile»Difficile)</u>

L-9 : Thèmes diversifiés	9 ans et +
L-1 : (2e édition) Thèmes diversifiés	11 ans et +
L-5 : Thèmes diversifiés	12 ans et +
L-2 : Thèmes diversifiés	14 ans et +
L-8 : Faits historiques + divers	14 ans et +
L-3 : Thèmes diversifiés	15 ans et +
L-4 : Histoire Canada-Québec	15 ans et +
L-6 : Culture québécoise	15 ans et +
L-7 : Thèmes diversifiés	16 ans et +

du même auteur :

Ces livres sont tous en librairie, au Québec, au Nouveau-Brunswick et en Ontario. Si vous ne les trouvez pas, vous pouvez faire une...

COMMANDE POSTALE

Le Quiz

vol # 1 : ... Le QUIZ (thèmes divers) (2e édition)
vol # 2 : ... des génies-ologues (thèmes divers)
vol # 3 : ... Vérifiez vos connaissances (thèmes divers)
vol # 4 : ... Histoire de mon pays
vol # 5 : ... Vérifiez vos connaissances (thèmes divers)
vol # 6 : ... à la québécoise (thèmes divers)
vol # 7 : ... des mordus (thèmes divers)
vol # 8 : ... des éphémérides (366 jours à 4 quest./jour)
vol # 9 : ... jeunesse (9-13 ans)... (thèmes divers)

vol # 10 : .. jeunesse II (9-14 ans)... (thèmes divers)
vol # 11 :...thématique : 15 sujets à 100 questions ch.(15 ans +)
vol # 12 : jeunesse III (6 – 10 ans) (thèmes divers) oct 2000

N.B. : les vol 4 et 6 sont d'intérêt québécois seulement.
4 = l'Histoire du Canada-Québec (2000 questions-réponses.)
6 = 1515 questions de culture québécoise (arts, sports… etc)

Prix : 10,95 $ chacun

ajouter : frais de poste de 2,00 $ pour commande de un livre seul.
(aucuns frais de poste pour 2 livres ou plus, même pour # divers)

Éditions GENY
C. P. 393,
Ste-Agathe-des-Monts,
Québec, Canada. J8C 3C6

courriel : quizgeny@polyinter.com ou lequiz@hotmail.com **FAX** : (819)326-0601

jeu : http://www.planete.qc.ca/histoire/brisson.asp